문제로 개념 잡는 초등 영문법

Grammar, ZAP!

심화 **4**

구성과 특징

- 짜임새 있게 구성된 커리큘럼
- 쉬운 설명과 재미있는 만화로 개념 쏙쏙
- 단계별 연습 문제를 통한 정확한 이해
- 간단한 문장 쓰기로 완성

1 Preview In Storytelling

- 본격적인 학습에 앞서 Unit 학습 내용과 관련된 기본 개념들을 동갑내기 친구인 산이와 민지, 시경이와 연아의 스토리를 통해 흥미롭고 재미있게 접할 수 있도록 도와줍니다.

2 Grammar Point

- 해당 Unit의 문법 개념을 다양한 예시문과 함께 쉽게 풀어서 설명하고, 재미있는 만화로 간단한 문장 속에서 문법을 익힐 수 있게 도와줍니다.

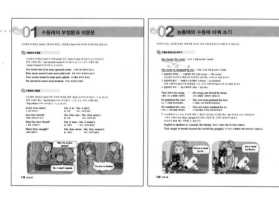

3 Grammar Walk

- 학습 내용을 잘 이해했는지 간단하게 확인하는 문제입니다. 가장 기초적인 연습 문제로 단어 쓰기, 2지 선택형, 배합형(match) 등으로 구성하였습니다.

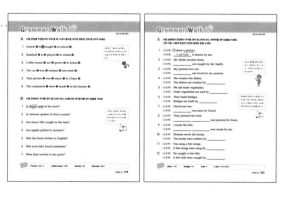

4 *Grammar Run/Jump/Fly*

- 학습한 내용을 본격적으로 적용하고, 응용해 볼 수 있는 다양한 유형의 연습 문제입니다.
- 단계별 연습 문제를 통해 개념을 정확하게 이해하고, 간단한 문장을 완성할 수 있도록 구성하였습니다.

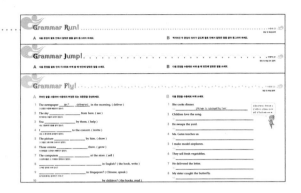

5 *Grammar & Writing*

- 창의 서술형 평가에 대비하기 위해 사진이나 그림 묘사하기, 표 해석하기, 정보 활용하기, 상황 묘사하기와 같은 문제를 수록하여 문법 개념을 이해하는데 그치지 않고 쓰기와 말하기에서도 활용할 수 있도록 하였습니다.

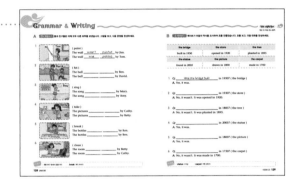

6 *Unit Test*

- Unit이 끝날 때마다 제시되는 마무리 테스트입니다. 객관식, 주관식 등의 문제를 풀면서 시험에 대비할 수 있도록 하였습니다.

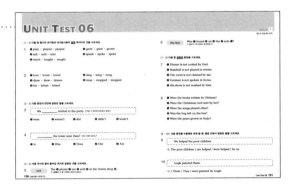

7 *Wrap Up*

- 해당 Unit을 마무리하며 요약하여 복습하고 빈칸을 채워 볼 수 있습니다.
- Check Up에서는 만화의 대화를 완성하며 마무리합니다.

활용방법

Book	Month	Week	Day	Unit	
1	1	1	1	1. 현재 시제	Unit Test 01
			2	2. 과거 시제	Unit Test 02
				Review Test 01	
		2	1	3. 미래 시제	Unit Test 03
			2	4. 진행 시제	Unit Test 04
				Review Test 02	
		3	1	5. 조동사 (1)	Unit Test 05
			2	6. 조동사 (2)	Unit Test 06
				Review Test 03	
		4	1	7. 조동사 (3)	Unit Test 07
			2	8. 여러 가지 문장	Unit Test 08
				Review Test 04	
				Final Test 01 ~ 02	
2	2	1	1	1. 셀 수 있는 명사와 셀 수 없는 명사	Unit Test 01
			2	2. 형용사와 부사	Unit Test 02
				Review Test 01	
		2	1	3. 비교 (1)	Unit Test 03
			2	4. 비교 (2)	Unit Test 04
				Review Test 02	
		3	1	5. to부정사 (1)	Unit Test 05
			2	6. to부정사 (2)	Unit Test 06
				Review Test 03	
		4	1	7. 동명사	Unit Test 07
			2	8. 동명사와 to부정사	Unit Test 08
				Review Test 04	
				Final Test 01 ~ 02	

Grammar, Zap!

심화 단계는 총 4권 구성으로 권당 4주, 총 4개월(권당 1개월)에 걸쳐 학습할 수 있도록 구성하였습니다. 하루 50분씩, 주 2일 학습 기준입니다.

Book	Month	Week	Day	Unit	
3	3	1	1	1. 의문사 있는 의문문 (1)	Unit Test 01
			2	2. 의문사 있는 의문문 (2)	Unit Test 02
				Review Test 01	
		2	1	3. 현재 완료 시제 (1)	Unit Test 03
			2	4. 현재 완료 시제 (2)	Unit Test 04
				Review Test 02	
		3	1	5. 현재 완료 시제 (3)	Unit Test 05
			2	6. 전치사	Unit Test 06
				Review Test 03	
		4	1	7. 재귀대명사	Unit Test 07
			2	8. 부정대명사	Unit Test 08
				Review Test 04	
				Final Test 01 ~ 02	
4	4	1	1	1. 여러 가지 동사 (1)	Unit Test 01
			2	2. 여러 가지 동사 (2)	Unit Test 02
				Review Test 01	
		2	1	3. 여러 가지 동사 (3)	Unit Test 03
			2	4. 여러 가지 동사 (4)	Unit Test 04
				Review Test 02	
		3	1	5. 수동태 (1)	Unit Test 05
			2	6. 수동태 (2)	Unit Test 06
				Review Test 03	
		4	1	7. 접속사 (1)	Unit Test 07
			2	8. 접속사 (2)	Unit Test 08
				Review Test 04	
				Final Test 01 ~ 02	

Contents

여러 가지 동사 (1)

어버이날, 부모님께 맛있는 요리를
해 드릴 거예요.

I **became** a cook today.

오늘은 내가 요리사.

become은 주어가 누구인지,
또는 어떠한지를 설명해 주는
주격 보어가 필요한 동사예요.

We **are** busy now.

be동사 또한 뒤에 주어를 설명해 주는
주격 보어를 써서 우리가 어떠한지,
또는 누구인지를 나타내 줘요.

주어에서 어떤 냄새가 나는지
나타내는 동사 smell.
역시 뒤에 형용사인 주격 보어를
써서 주어를 설명해요.

It smells good.

This **tastes** great!

동사 taste 뒤에 형용사 great를 써서
카레의 맛도 표현할 수 있어요.

I **feel** happy.

이렇게 명사와 형용사와 함께 주어에
대해 멋지게 설명해 주는 동사들이
있어 경험과 느낌을 풍부하게 표현할
수 있어 좋아요.

01 주격 보어가 필요한 동사 (1)

be, become, get, turn 등은 뒤에 주어를 보충 설명해 주는 주격 보어가 필요한 동사입니다.
주로 형용사와 명사가 주격 보어로 쓰입니다.

A be동사+명사(구)/형용사(구)

• be동사는 뒤에 명사(구)가 오면 '~이다' 또는 '~이 되다'라는 뜻으로 주어가 '누구'인지 또는 '무엇'인지 주어의 신분이나 지위 등을 말해 줍니다.
• be동사는 뒤에 형용사(구)가 오면 '~하다'라는 뜻으로 주어의 겉모습이나 상태가 '어떠한지'를 말해 줍니다.

She **is** my friend. 그녀는 내 친구이다.　　　We **are** hungry. 우리는 배가 고프다.

💡 '구'란 두 개 이상의 단어가 모여 한 덩어리로 문장의 일부분을 이루는 말입니다.
명사, 형용사, 부사의 역할을 할 수 있습니다.

He is **a kind boy**. 〈관사+형용사+명사=명사구〉 그는 친절한 남자아이다.

B become+명사(구)/형용사(구)

• become은 뒤에 명사(구)가 오면 '~이 되다'라는 뜻으로 주어의 신분, 지위를 말해 줍니다.
• become은 뒤에 형용사(구)가 오면 '~해지다'라는 뜻으로 주어의 상태를 말해 줍니다.

She **became** a writer. 그녀는 작가가 되었다.　　　The song **became** famous. 그 노래는 유명해졌다.

C get/grow/turn/go+형용사(구)

get, grow, turn, go 등은 뒤에 형용사(구)가 오면 '~해지다', '~하게 되다'라는 뜻으로
주로 주어의 감정이나 상태의 변화를 설명합니다.

My mom **got** angry. 우리 엄마는 화가 나셨다.　　　It **grew** dark. 어두워졌다.

Her face **turned** pale. 그녀의 얼굴이 창백해졌다.　　　The milk **went** bad. 그 우유는 상했다.

I **became** a great singer.
I **am** popular.

Grammar Walk

정답 및 해설 2쪽

A 다음 문장에서 동사를 찾아 밑줄을 치고, 주격 보어를 찾아 동그라미 하세요.

1 Cathy <u>is</u> (my best friend).

2 The class is interesting.

3 He became an engineer.

4 I became tired.

5 It is getting cold.

6 The students grew quiet.

7 The trees turned brown.

8 The milk will go bad in three days.

be, become, get, grow, turn, go 등은 뒤에 주어를 보충 설명하는 주격 보어가 필요해.

in three days는 '3일 후에'라는 뜻의 시간을 나타내는 말이야. 주격 보어로 착각하지 않도록 조심해.

B 다음 영어의 알맞은 우리말 뜻을 찾아 선으로 연결하세요.

1 become popular ·   · **a.** 붉어지다

2 get bored ·   · **b.** 인기 있어지다

3 go blind ·   · **c.** 나이 들다

4 turn red ·   · **d.** 시력을 잃다

5 grow old ·   · **e.** 목이 마르다

6 be thirsty ·   · **f.** 지루해지다

 WORDS · **engineer** 기사, 엔지니어 · **bad** (음식이) 상한 · **in** ~ 후에 · **bored** 지루해하는 · **blind** 눈이 먼

02 주격 보어가 필요한 동사 (2)

주격 보어가 필요한 동사에는 감각을 나타내는 동사들도 있습니다.

A 감각을 나타내는 동사+형용사(구)

모양, 소리, 냄새, 맛, 느낌 등 감각을 나타내는 동사들은 뒤에 형용사(구)가 오면 '~하게 보이다/들리다/냄새가 나다/맛이 나다/느껴지다'라는 뜻으로 주어의 상태를 나타냅니다.

look ~하게 보이다   **sound** ~하게 들리다   **smell** ~한 냄새가 나다
taste ~한 맛이 나다   **feel** ~한 느낌이 들다

You look nice today.
너는 오늘 멋있어 보인다.

It smells good.
그것은 냄새가 좋다.

I feel good today.
나는 오늘 기분이 좋다.

That sounds strange.
그것은 이상하게 들린다.

The orange tastes sour.
그 오렌지는 신맛이 난다.

B look/sound like+명사(구)

'~하게 보이다/들리다'의 뜻으로 쓰이는 look과 sound는 형용사(구)와 함께 쓰이지만 「like(~처럼)+명사(구)」와 함께 쓰일 수도 있습니다. 「look like+명사(구)」는 '~처럼 보이다', '~와 닮다'라는 뜻이고, 「sound like+명사(구)」는 '~처럼 들리다'라는 뜻입니다.

A tiger looks like a cat.
호랑이는 고양이처럼 생겼다.

It sounds like the truth.
그것은 사실처럼 들린다.

You look like a swimmer.
너는 수영 선수처럼 보인다.

That sounds like a good plan.
그것은 좋은 계획처럼 들린다.

You **look** nice today.
You **look like** a tiger.

I'm late.

Grammar Walk

정답 및 해설 2쪽

A 다음 영어의 우리말 뜻을 빈칸에 쓰세요.

1 look sad _____슬퍼 보이다_____

2 look excited _____

3 look upset _____

4 look sick _____

5 look busy _____

6 sound beautiful _____

7 sound interesting _____

8 sound easy _____

9 sound strange _____

10 sound boring _____

11 smell sweet _____

12 smell delicious _____

13 smell fresh _____

14 smell terrible _____

15 smell bad _____

16 taste hot _____

17 taste good _____

18 taste bitter _____

19 taste salty _____

20 taste sour _____

21 feel cold _____

22 feel sleepy _____

23 feel soft _____

24 feel tired _____

25 feel warm _____

26 feel happy _____

27 look like his father _____

28 sound like a piano _____

> look like, sound like에서 like는 '~처럼'이라는 뜻의 전치사야. 그래서 like 뒤에는 항상 명사(구)가 와야 해.

WORDS · **strange** 이상한 · **terrible** 심한, 지독한 · **bitter** (맛이) 쓴 · **salty** (맛이) 짠 · **sour** (맛이) 신

여러 가지 동사 (1) **13**

Grammar Run! ....

A 다음 문장의 괄호 안에서 알맞은 말을 골라 동그라미 하세요.

1 The girls are (a pretty / (pretty)) today.

be동사와 become은 뒤에 주격
보어가 필요해.

2 Your answer was (right / rightly).

3 The trip became (excite / exciting).

4 The man became (angrily / angry).

5 The students get (strongly / strong).

get, go, turn, grow 등이 '~해지
다, ~하게 되다'라는 뜻일 때는
형용사와 함께 쓰여.

6 The man went (baldly / bald).

7 His face turned (red / redly).

8 The sky grew (dark / darkly).

9 They look (sadly / sad) today.

look, sound, smell, taste, feel 같
은 동사들도 형용사와 함께 쓰
여. '~하게'라고 해석된다고 부
사를 쓰면 안 돼.

10 That song sounds (beautiful / beautifully).

11 The pie smells (sweet / sweetly).

12 The pizza tastes (delicious / deliciously).

13 I feel (coldly / cold).

14 She looks like (a teacher / happy).

15 It sounds like (thunder / bad).

 · **right** 옳은, 올바른 · **excite** 흥분시키다 · **angrily** 성나서, 화내어 · **bald** 머리가 벗겨진 · **thunder** 천둥, 우레

정답 및 해설 2~3쪽

B 다음 중 알맞은 말을 찾아 문장을 완성하세요.

> taller   short   bitter   pale   handsome
> hungry   an astronaut   blind   rain
> a famous violinist   good   popular   a doctor   true

1 This skirt is too ___short___ . 이 치마는 너무 짧다.

2 She was _____ _____ _____ in the world.
그녀는 세계적으로 유명한 바이올리니스트였다.

3 His song became _____ in Korea. 그의 노래는 한국에서 인기가 많아졌다.

4 Neil became _____ _____ . 닐은 우주 비행사가 되었다.

5 My dog is going _____ . 우리 개는 시력을 잃어 가고 있다.

6 Her face turned _____ . 그녀의 얼굴이 창백해졌다.

7 The boy grew _____ . 그 남자아이는 키가 더 커졌다.

8 You look _____ today. 너는 오늘 잘생겨 보인다.

9 The story sounds _____ . 그 이야기는 사실처럼 들린다.

10 The soup smells _____ . 그 수프는 냄새가 좋다.

11 This medicine tastes _____ . 이 약은 쓴맛이 난다.

12 He feels very _____ . 그는 무척 배가 고프다.

> rain은 '비가 내리다'라는 동사로도 쓰이지만 '비, 빗물'이라는 뜻의 명사로도 쓰여.

13 He looks like _____ _____ . 그는 의사처럼 보인다.

14 That sounds like _____ . 그것은 빗소리처럼 들린다.

Grammar Jump!

A 다음 문장의 우리말 뜻을 완성하세요.

1 The song was so great. ➡ 그 노래는 _____무척 훌륭했다_____.

2 He is my grandfather. ➡ 그는 _____.

3 The book became popular. ➡ 그 책은 _____.

4 Sandy will become a good doctor. ➡ 샌디는 _____.

5 The theater got dark. ➡ 극장이 _____.

6 The musician went deaf. ➡ 그 음악가는 _____.

7 His hair turned gray. ➡ 그의 머리는 _____.

8 They grew old together. ➡ 그들은 함께 _____.

9 Lisa looked happy yesterday. ➡ 리사는 어제 _____.

10 Your plan sounds nice. ➡ 네 계획은 _____.

11 The eggs smell strange. ➡ 그 달걀들은 _____.

12 This cake tastes delicious. ➡ 이 케이크는 _____.

13 Bob felt very sleepy. ➡ 밥은 무척 _____.

14 The baby looks like a doll. ➡ 그 아기는 _____.

15 The noise sounded like a cat. ➡ 그 소리는 _____.

 WORDS · **theater** 극장 · **deaf** 청각을 잃은 · **gray** (머리털이) 반백의 · **noise** 소리, 소음

B 주어진 말을 사용하여 다음 문장을 완성하세요.

1 She ___was___ ___my___ ___math___ ___teacher___ . (my math teacher, be)
그녀는 우리 수학 선생님이셨다.

2 The shoes _____ _____ _____ for me. (too big, be)
그 신발은 내게 너무 크다.

3 Olivia _____ _____ . (brave, become)
올리비아는 용감해졌다.

4 We _____ _____ . (friends, become)
우리는 친구가 되었다.

5 The nights _____ _____ . (colder, get)
밤이 더 추워졌다.

6 Mr. Martin _____ _____ . (bald, go)
마틴 씨는 머리가 벗겨지셨다.

7 The river _____ _____ . (red, turn)
그 강은 붉게 변했다.

8 Jenny _____ _____ every day. (taller, grow)
제니는 매일 키가 더 커진다.

9 The sky _____ _____ . (clear, look)
하늘이 맑아 보인다.

10 His voice _____ _____ . (soft, sound)
그의 목소리는 부드럽게 들렸다.

11 Your room _____ _____ . (fresh, smell)
네 방은 상쾌한 냄새가 난다.

12 The soup _____ _____ . (salty, taste)
그 수프는 짠맛이 난다.

13 I _____ _____ during the race. (thirsty, feel)
나는 경주 중에 목이 말랐다.

14 He _____ _____ _____ _____ . (an actor, look like)
그는 남자 배우처럼 보인다.

15 That _____ _____ _____ . (guitars, sound like)
그것은 기타 소리처럼 들린다.

동사는 시제나 주어의 인칭과 수에 맞게 바르게 고쳐 써야 해.

WORDS · **clear** 맑은 · **voice** 목소리, 음성 · **soft** 부드러운 · **fresh** 신선한, 상쾌한

Grammar Fly! ·

A 다음 밑줄 친 부분을 바르게 고쳐 문장을 다시 쓰세요.

1 The train is very <u>slowly</u>.

➡ _____ The train is very slow. _____

2 The exam became <u>easily</u>.

➡ _____

3 The milk went <u>badly</u>.

➡ _____

4 The weather turned <u>coldly</u>.

➡ _____

5 Jane grew <u>angrily</u>.

➡ _____

6 They <u>looked like</u> sad today.

➡ _____

7 The music <u>sounds like</u> cheerful.

➡ _____

8 The cake smells <u>sweetly</u>.

➡ _____

9 The oranges tasted <u>sourly</u>.

➡ _____

10 Matt felt <u>sleepily</u>.

➡ _____

11 This flower <u>looks</u> a rose.

➡ _____

12 It <u>sounds</u> a bad dream.

➡ _____

형용사에 -ly를 붙이면 부사가 돼.
slow 느린 - slowly 느리게
easy 쉬운 - easily 쉽게
angry 화난 - angrily 성나서
sweet 달콤한 - sweetly 달콤하게
sour 신 - sourly 시게
sleepy 졸리운 - sleepily 졸린 듯이

동사 뒤의 주격 보어가 '~하게'라고 부사처럼 해석되더라도 반드시 '형용사'를 써야 한다는 걸 잊지 마!

WORDS · **cheerful** 경쾌한 · **rose** 장미 · **dream** 꿈

B 주어진 말을 바르게 배열하여 문장을 쓰세요.

1 (was / a great inventor / he / .) 그는 위대한 발명가였다.

➡ _____He was a great inventor._____

2 (were / hungry / we / .) 우리는 배가 고팠다.

➡ _____

3 (a good skater / will become / Jennifer / .) 제니퍼는 뛰어난 스케이트 선수가 될 것이다.

➡ _____

4 (exciting / is getting / the match / .) 그 시합은 흥미진진해지고 있다.

➡ _____

5 (went / the old tiger / blind / .) 그 늙은 호랑이는 시력을 잃었다.

➡ _____

6 (red / her face / turned / .) 그녀의 얼굴이 빨개졌다.

➡ _____

7 (looked / tired / he / .) 그는 피곤해 보였다.

➡ _____

8 (very interesting / his plan / sounds / .) 그의 계획은 무척 흥미롭게 들린다.

➡ _____

9 (smell / these lilies / very sweet / .) 이 백합들은 무척 달콤한 냄새가 난다.

➡ _____

10 (tastes / bitter / the coffee / .) 그 커피는 쓴맛이 난다.

➡ _____

11 (really happy / I / felt / .) 나는 정말 행복하게 느껴졌다.

➡ _____

12 (looked like / a huge lion / it / .) 그것은 거대한 사자처럼 보였다.

➡ _____

WORDS · **inventor** 발명가 · **match** 경기, 시합 · **plan** 계획 · **lily** 백합 · **huge** 엄청난, 거대한

Grammar & Writing

A 정보 활용하기 그림을 보고, 주어진 말을 사용하여 봄과 가을의 특성을 설명하는 문장을 완성하세요.

1

(become, warm)

The weather ___becomes___ ___warm___ in spring.

2

6:00 a.m.   7:00 p.m.

(get, longer)

The days _____ _____ in spring.

3

(turn, green)

The leaves _____ _____ in spring.

4

(become, cool)

The weather _____ _____ in fall.

5

6:50 a.m.   5:40 p.m.

(get, shorter)

The days _____ _____ in fall.

6

(turn, red and yellow)

The leaves _____ _____ _____

_____ in fall.

WORDS
· **day** 낮 (동안)   · **cool** 시원한, 서늘한

B 정보 활용하기 샐리가 차고 세일을 하고 있습니다. 그림을 보고, 주어진 말을 사용하여 다음 대화를 완성하세요.

1 **A:** How is the red scarf?
   B: The red scarf _____feels_____ _____soft_____. (feel, soft)

2 **A:** How are the hairpins?
   B: The hairpins _____ _____. (look, pretty)

3 **A:** How is the music?
   B: The music _____ _____. (sound, exciting)

4 **A:** How are the pancakes?
   B: The pancakes _____ _____. (smell, good)

5 **A:** How is the lemonade?
   B: The lemonade _____ _____. (taste, sour)

WORDS · **hairpin** 머리핀 · **pancake** 팬케이크 · **lemonade** 레모네이드

UNIT TEST 01

[1 - 2] 다음 중 밑줄 친 부분의 우리말 뜻이 잘못된 것을 고르세요.

1
  ❶ Mark <u>was happy</u> yesterday. (행복했다)

  ❷ She <u>became an astronaut</u>. (우주 비행사가 되었다)

  ❸ The sky <u>got dark</u>. (어두웠다)

  ❹ The weather <u>grew hot</u>. (더워졌다)

  ❺ His nose <u>turned red</u>. (빨개졌다)

2
  ❶ The puppy <u>looks sick</u>. (아파 보인다)

  ❷ His song <u>sounds sad</u>. (슬프다)

  ❸ The grape juice <u>tastes sour</u>. (신맛이 난다)

  ❹ The towel <u>smells good</u>. (좋은 냄새가 난다)

  ❺ The cushion <u>feels soft</u>. (부드럽게 느껴진다)

[3 - 4] 다음 우리말 뜻과 같도록 빈칸에 알맞은 말을 고르세요.

3

> 우리 고양이는 지난달에 살이 쪘다. ➡ My cat _____ fat last month.

  ❶ grew   ❷ looked   ❸ were

  ❹ smelled   ❺ sounded

4

> 그의 계획은 흥미롭게 들린다. ➡ His plan _____ interesting.

  ❶ is   ❷ becomes   ❸ goes

  ❹ sounds   ❺ feels

[5-6] 다음 대화의 빈칸에 알맞은 말을 고르세요.

5

> **A:** What do the leaves do in fall? 가을에 나뭇잎들은 어떻게 되니?
>
> **B:** They _____ red and yellow. 그것들은 빨갛고 노랗게 변한다.

❶ are ❷ look ❸ smell

❹ feel ❺ turn

6

> **A:** How do you feel now? 너는 지금 기분이 어떠니?
>
> **B:** I _____ tired now. 나는 지금 피곤한 느낌이다.

❶ become ❷ look ❸ feel

❹ taste ❺ grow

[7-8] 다음 문장의 빈칸에 공통으로 알맞은 말을 고르세요.

7

> • Her song _____ very popular.
> • Sarah _____ an astronaut.

❶ became ❷ grew ❸ went

❹ got ❺ felt

8

> • That sounds _____ rain.
> • The girl looks _____ a baby.

❶ at ❷ for ❸ like

❹ by ❺ it

[9-11] 다음 밑줄 친 우리말을 영어로 바르게 옮긴 것을 고르세요.

9

> She 슬퍼 보인다.

❶ is sad   ❷ is sadly   ❸ looks sad

❹ look like sad   ❺ looks sadly

10

> The pie 달콤한 맛이 난다.

❶ smells sweet   ❷ tastes sweet   ❸ feels sweet

❹ becomes sweet   ❺ sounds sweet

11

> The food 상할 것이다 in a few days.

❶ will bad   ❷ will go mad   ❸ will go bad

❹ will go   ❺ will go bald

[12-13] 다음 중 밑줄 친 부분이 잘못된 문장을 고르세요.

12 ❶ Jane became a writer.   ❷ She looks a fashion model.

❸ The man is my teacher.   ❹ The story sounds like the truth.

❺ He will become famous.

13 ❶ This sounds strange.   ❷ He feels thirsty.

❸ They look busy.   ❹ That tastes great.

❺ That smells nicely.

[14–15] 다음 문장의 빈칸에 들어갈 말이 순서대로 바르게 짝지어진 것을 고르세요.

14

> • The medicine tasted _____ .
> • I feel _____ today.

❶ bitter – good   ❷ salty – sadly   ❸ sourly – happy

❹ spicy – happily   ❺ sweetly – good

15

> • The kids are growing _____ every day.
> • The leaves turn _____ in fall.

❶ students – fruit   ❷ taller – fruit   ❸ taller – yellow

❹ students – yellow   ❺ tall – sweetly

[16–17] 다음 우리말 뜻과 같도록 괄호 안에서 알맞은 말을 고르세요.

16

> 나는 무척 졸리다.

➡ I feel very (sleep / sleepy).

17

> 밤이 추워졌다.

➡ The nights became (cold / coldly).

정답 및 해설 4~5쪽

[18-20] 다음 우리말 뜻과 같도록 주어진 말을 사용하여 문장을 완성하세요.

18 그의 노래는 인기가 많아졌다. (popular, become)

➡ His song _____ _____.

19 메리는 자기 엄마처럼 생겼다. (her mother, look like)

➡ Mary _____ _____ _____ _____.

20 그 남자는 눈이 보이지 않게 되었다. (go, blind)

➡ The man _____ _____.

[21-25] 다음 우리말 뜻과 같도록 빈칸에 알맞은 말을 쓰세요.

21 케빈은 그녀의 가장 친한 친구였다.

➡ Kevin _____ her best friend.

22 날이 어두워지고 있다.

➡ It is getting _____.

23 그 포도 주스는 신맛이 난다.

➡ The grape juice _____ sour.

24 그녀의 얼굴이 창백해졌다.

➡ Her face turned _____.

25 그녀의 이야기는 지루하게 들린다.

➡ Her story _____ boring.

WRAP UP

1 주격 보어가 필요한 동사 (1)

❶ be동사/become+¹[　　　　]: 주어가 '누구'인지 또는 '무엇'인지 주어의 신분이나 지위를 말해 준다.

❷ be동사/become+²[　　　　]: 주어가 '어떠한지' 주어의 상태를 말해 준다.

❸ get, grow, turn, go+³[　　　　]: '~해지다', '~하게 되다'라는 뜻으로 주로 주어의 감정이나
상태의 변화를 말해 준다.

2 주격 보어가 필요한 동사 (2)

❶ look, sound, smell, taste, feel+¹[　　　　]: '~하게 보이다/들리다/냄새가 나다/맛이 나다/
느껴지다'라는 뜻이다.

❷ look/sound ²[　　　　]+명사(구): '~처럼 보이다/들리다'라는 뜻이다.

Check Up   그림을 보고, 알맞은 말을 찾아 다음 대화의 빈칸에 쓰세요.

| happy | looks | smells | hungry |

여러 가지 동사 (2)

어제는 내 생일이었다.
많은 사람들이 축하해 줘서
더욱 기뻤던 날.

My sister **gave** me this picture.

시아가 '내게' '이 그림을' 주었다.
이렇게 '~에게', '~을'이라는 뜻의 목적어가
2개 필요한 동사를 수여동사라고 한다.

Grandpa **sent** me this T-shirt.

우리 할아버지께서는 '내게' '이 티셔츠를'
보내 주셨다.

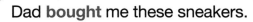

Dad **bought** me these sneakers.

아빠께서는 '내게' '이 운동화를' 사 주셨다.

Mom **made** me a delicious cake.

엄마께서는 '내게' '맛있는 케이크를' 만들어 주셨다.

모두들 내 생일을 축하하며 내게 많은 것들을 해 주었다.

'누군가에게' '무엇을' 해 준다는 의미를 표현하는 수여동사는 많은 사람들의 사랑을 받는 나와 참 잘 어울리는 동사다.

01 목적어가 두 개 필요한 동사

동사 뒤에서 '~을[를]', '~에게'라는 뜻으로 행동의 대상이 되는 말을 목적어라고 합니다.
목적어는 주어가 '누구에게' '무엇을' 하는지 알려 줍니다.

A 수여동사

수여동사는 '(누구)에게 (무엇)을 ~해 주다'라는 뜻의 동사로 '누구에게'와 '무엇을'에 해당하는 말과
함께 쓰는 동사입니다.

💡 대표적인 수여동사

ask ~에게 … 을[를] 물어보다	bring ~에게 … 을[를] 가져다주다	buy ~에게 … 을[를] 사 주다
cook ~에게 … 을[를] 요리해 주다	find ~에게 … 을[를] 찾아 주다	get ~에게 … 을[를] 구해 주다
give ~에게 … 을[를] 주다	lend ~에게 … 을[를] 빌려 주다	make ~에게 … 을[를] 만들어 주다
pass ~에게 … 을[를] 건네주다	read ~에게 … 을[를] 읽어 주다	send ~에게 … 을[를] 보내다
show ~에게 … 을[를] 보여 주다	sell ~에게 … 을[를] 팔다	take ~에게 … 을[를] 가지고 가다
teach ~에게 … 을[를] 가르쳐 주다	tell ~에게 … 을[를] 말해 주다	write ~에게 … 을[를] 쓰다

B 수여동사+간접목적어+직접목적어

간접목적어는 '~에게'에 해당하는 말로 주로 사람을 가리키는 말이고, 직접목적어는 '~을/를'에
해당하는 말로 주로 사물을 가리키는 말입니다. 수여동사 뒤에 이 두 목적어가 함께 올 때는
「수여동사+간접목적어+직접목적어」의 순서로 씁니다.

I **gave** her the book. 나는 그녀에게 그 책을 주었다.

He **showed** us the picture. 그는 우리에게 그 사진을 보여 주었다.

She **made** me some cookies. 그녀는 내게 과자를 조금 만들어 주었다.

Pass me the salt, please. 제게 그 소금을 건네주세요.

Will you **bring** me some water?

Zack! Did you hear me?

Grammar Walk

A 다음 문장에서 간접목적어를 찾아 동그라미 하고, 직접목적어를 찾아 밑줄을 치세요.

1 She cooked (me) <u>breakfast</u>.

2 My father bought me a new computer.

3 She sent Brian e-mail.

4 Mrs. Black taught us English.

5 I won't tell David the secret.

6 He brought Angela her bike.

7 She asked her teacher many questions.

8 Cindy showed me her report card.

9 You passed Jimmy the towel.

10 His mother gave Andrew some water.

11 Mr. Nelson read his grandson an exciting story.

12 I wrote my mother a birthday card.

13 They sold us their fruit.

14 I made my brother a kite.

15 She lent Thomas her book.

수여동사 뒤에서 '~에게'의 뜻으로 쓰이는 간접목적어 자리에 대명사가 오면 목적격을 써.

buy, give, make 같은 동사는 뒤에 「간접목적어+직접목적어」가 오면 '~에게 …를 ~해 주다'라는 뜻이 돼.

WORDS · **report card** 성적표　· **grandson** 손자　· **lend** 빌려 주다

02 수여동사가 있는 문장 바꿔 쓰기

「수여동사+간접목적어+직접목적어」에서 직접목적어와 간접목적어의 자리를 바꿔 쓸 수 있습니다.
이때 간접목적어 앞에 전치사가 필요한데, 전치사는 수여동사에 따라 달라집니다.

A 수여동사+직접목적어+to+간접목적어

give, pass, send, show, teach, tell, write 등의 수여동사가 있는 문장에서 간접목적어가
직접목적어 뒤에 오면 간접목적어 앞에 to를 씁니다.

Mike **showed** me his iguana. ➡ Mike **showed** his iguana **to** me.
마이크가 내게 자기 이구아나를 보여 주었다.

I **gave** Sue my eraser. ➡ I **gave** my eraser **to** Sue. 나는 수에게 내 지우개를 주었다.

B 수여동사+직접목적어+for+간접목적어

buy, cook, find, get, make 등의 수여동사가 있는 문장에서 간접목적어가 직접목적어 뒤에 오면
간접목적어 앞에 for를 씁니다.

Mom **bought** me a coat. ➡ Mom **bought** a coat **for** me. 엄마는 내게 외투를 사 주셨다.

I **made** Walter a sandwich. ➡ I **made** a sandwich **for** Walter.
나는 월터에게 샌드위치를 만들어 주었다.

C 수여동사+직접목적어+of+간접목적어

ask 등의 수여동사가 있는 문장에서 간접목적어가 직접목적어 뒤에 오면 간접목적어 앞에 of를 씁니다.

My teacher **asked** me a question. ➡ My teacher **asked** a question **of** me.
우리 선생님이 내게 질문을 하나 하셨다.

Grammar Walk

정답 및 해설 6쪽

A 다음 문장에서 동사를 찾아 동그라미 하고, 전치사를 찾아 밑줄을 치세요.

1 Clara (gave) a bone <u>to</u> her dog.

2 Paul passed the newspaper to his father.

3 My grandfather sent the soccer shoes to me.

4 The boy showed his hands to his mom.

5 Ms. Jason teaches English to us.

6 The old lady told the ghost story to them.

7 I wrote a letter to my parents.

8 He brought a balloon to Diane.

9 Adam got a sweater for his father.

10 I bought some flowers for my mother.

11 She cooked dinner for her family.

12 Mr. Snow found the baseball cap for his daughter.

13 I made a salad for you.

14 We asked the title of the librarian.

15 They asked some questions of the player.

직접목적어가 간접목적어 앞에 있을 때 동사에 따라 어떤 전치사가 간접목적어 앞에 쓰이는지 잘 살펴봐.

bring이 쓰인 문장에서 직접목적어가 간접목적어 앞에 있을 때 간접목적어 앞에 to와 for 둘 다 쓸 수 있어.

WORDS
· **bone** 뼈   · **ghost** 유령   · **balloon** 풍선   · **title** 제목   · **librarian** (도서관의) 사서

Grammar Run! ....

A 다음 문장의 괄호 안에서 알맞은 말을 골라 동그라미 하세요.

1 A lady gave (he / (him)) some food.

수여동사가 두 개의 목적어를 가질 때 「수여동사+간접목적어(~에게)+직접목적어(~을/를)」의 순서로 써.

2 Susan passed (I / me) the ball.

3 They bought (he / him) a new skateboard.

4 I told (Jane my address / my address Jane).

5 He will read (the kids a fairy tale / a fairy tale the kids).

6 We made (coffee our parents / our parents coffee).

간접목적어 자리에 대명사가 오면 목적격으로 써.

7 My cousin sent (a postcard to us / a postcard us).

8 His uncle taught (French them / French to them).

9 Brad found (a map for me / a map me).

10 You gave your baseball card (to Fred / for Fred).

11 Bring the box (to her / of her).

간접목적어가 직접목적어 뒤에 오면 간접목적어 앞에 전치사가 필요해.

12 Ms. Davis cooked Indian food (of us / for us).

13 I bought a tie (to my father / for my father).

14 Andrew asked your name (of me / for me).

15 My father made (for our cat cat toys / cat toys for our cat).

WORDS · **skateboard** 스케이트보드 · **address** 주소 · **fairy tale** 동화 · **Indian** 인도의 · **tie** 넥타이

B 다음 중 알맞은 말을 찾아 문장을 완성하세요. 중복해서 사용할 수 있어요.

| bought | tell | brought | asked | for | made | to | of | showed |

1 Betty ___showed___ us her medals.

베티는 우리에게 자신의 메달들을 보여 주었다.

2 Don't _____ him my secret.

그에게 내 비밀을 말해 주지 마라.

3 Joey _____ us some bananas.

조이는 우리에게 바나나를 조금 가져다주었다.

4 Nick's uncle _____ him a soccer ball.

닉의 삼촌은 그에게 축구공을 사 주셨다.

5 My sister _____ the kid a pinwheel.

우리 언니는 그 아이에게 바람개비를 만들어 주었다.

6 A reporter _____ the actor some questions.

기자가 그 남자 배우에게 질문을 몇 개 했다.

7 I will write a letter _____ Jack.

나는 잭에게 편지를 쓸 것이다.

8 She sent e-mail _____ her friend.

그녀는 자기 친구에게 이메일을 보냈다.

9 He gave his math notes _____ Alex.

그는 알렉스에게 자기 수학 노트를 주었다.

10 The police found my bike _____ me.

경찰이 내게 내 자전거를 찾아 주었다.

11 Dad bought the concert tickets _____ us.

아빠는 우리에게 그 콘서트 입장권을 사 주셨다.

12 The chef didn't ask anything _____ them.

그 주방장은 그들에게 아무것도 물어보지 않았다.

> write, send, give, show, tell 등의 동사는 간접목적어가 직접목적어 뒤에 오면 간접목적어 앞에 전치사 to를 써.

> find, buy, cook, make 등은 간접목적어가 직접목적어 뒤에 오면 간접목적어 앞에 전치사 for를 써야 해.

> 동사가 ask일 경우에는 직접목적어 뒤의 간접목적어 앞에 전치사 of를 쓰면 돼.

WORDS · **medal** 메달 · **pinwheel** 바람개비 · **notes** 필기, 노트, 기록 · **police** 경찰 · **chef** 요리사, 주방장

Grammar Jump!

A 주어진 말을 바르게 배열하여 다음 문장을 완성하세요.

1 내게 그 소금을 건네줄 수 있니? (pass / the salt / me)
➡ Can you _____pass me the salt_____ ?

2 사라의 이모는 우리에게 시를 한 편 읽어 주셨다. (read / a poem / us)
➡ Sarah's aunt _____ .

3 토니는 그들에게 자기 농구공을 빌려 주었다. (lent / his basketball / them)
➡ Tony _____ .

4 나는 우리 어머니에게 장미를 조금 드렸다. (gave / some roses / my mother)
➡ I _____ .

5 캐럴은 사라에게 자기 이구아나를 보여 주었다. (showed / her iguana / Sarah)
➡ Carol _____ .

6 브라운 선생님은 우리에게 영어를 가르쳐 주신다. (teaches / English / us)
➡ Ms. Brown _____ .

7 그 남자는 자기 아들에게 자전거를 사 주었다. (his son / a bike / bought)
➡ The man _____ .

8 우리 아버지는 우리에게 저녁 식사를 요리해 주신다. (us / dinner / cooks)
➡ My father _____ .

9 린의 삼촌은 그녀에게 그 오래된 그림을 찾아 주었다. (her / the old painting / found)
➡ Lyn's uncle _____ .

10 나는 내 남동생에게 연을 만들어 주었다. (my brother / made / a kite)
➡ I _____ .

11 앤디는 그들에게 그 입장권을 구해 주었다. (the tickets / got / them)
➡ Andy _____ .

12 그 여자아이가 내게 네 전화번호를 물어보았다. (me / asked / your phone number)
➡ The girl _____ .

WORDS   · **poem** 시   · **basketball** 농구공, 농구   · **rose** 장미   · **iguana** 이구아나   · **painting** 그림

B to, for, of 중 알맞은 전치사와 주어진 말을 사용하여 다음 문장을 완성하세요.

1 My brother ___wrote___ a letter ___to Grandma___. (wrote, Grandma)
우리 남동생은 할머니에게 편지를 썼다.

2 Jason _____ his favorite toy _____. (gave, his brother)
제이슨은 자기 남동생에게 자신이 특히 좋아하는 장난감을 주었다.

3 You _____ the ball _____. (passed, Betty)
너는 베티에게 그 공을 건네주었다.

4 Chris's grandpa _____ a funny story _____. (told, us)
크리스의 할아버지는 우리에게 웃긴 이야기를 말씀해 주셨다.

5 Mr. Wright _____ art _____. (taught, them)
라이트 선생님은 그들에게 미술을 가르쳐 주셨다.

6 I _____ a storybook _____. (read, my sister)
나는 내 여동생에게 동화책을 읽어 주었다.

7 Paul's cousin _____ a Christmas card _____. (sent, him)
폴의 사촌이 그에게 크리스마스카드를 보냈다.

8 Amy _____ her new shoes _____. (showed, me)
에이미는 내게 자기 새 신발을 보여 주었다.

9 Dad _____ a new skateboard _____. (bought, my sister)
아빠는 내 여동생에게 새 스케이트보드를 사 주셨다.

10 Ms. Stone _____ a paper boat _____. (made, the child)
스톤 씨는 그 아이에게 종이배를 만들어 주었다.

11 Mr. Peary _____ *bulgogi* _____. (cooked, his family)
피어리 씨는 자기 가족에게 불고기를 요리해 주었다.

12 Mom _____ a cat house _____. (got, the poor cat)
엄마는 그 불쌍한 고양이에게 고양이 집을 구해 주셨다.

13 She _____ that book _____. (found, Neo)
그녀가 네오에게 저 책을 찾아 주었다.

14 We _____ her e-mail address _____. (asked, Anna)
우리는 애나에게 그녀의 이메일 주소를 물어보았다.

WORDS · **funny** 웃기는, 재미있는 · **storybook** 이야기책, 동화책 · **paper boat** 종이배 · **poor** 불쌍한, 가련한

Grammar Fly! · · · · · · · · · · · · · ·

A 같은 뜻이 되도록 알맞은 전치사를 사용하여 다음 문장을 바꿔 쓰세요.

1 Jack passed me the plate.
   ➡ _____ Jack passed the plate to me. _____

2 I sent my cousin a birthday present.
   ➡ _____

3 My little sister gave me bubble gum.
   ➡ _____

4 Jeremy showed us his hamster.
   ➡ _____

5 Tom Sawyer told his aunt a lie.
   ➡ _____

6 Ms. Forest read them a ghost story.
   ➡ _____

7 She cooked us Indian food.
   ➡ _____

8 My brother bought Amy a toy car.
   ➡ _____

9 Amanda made her cat a comfortable bed.
   ➡ _____

10 He got my grandpa an old Korean coin.
   ➡ _____

11 My puppy found me my old socks.
   ➡ _____

12 The police asked us Mr. Cook's address.
   ➡ _____

· **plate** 접시   · **present** 선물   · **bubble gum** 풍선껌   · **comfortable** 편안한   · **coin** 동전

B 주어진 말을 바르게 배열하여 문장을 쓰세요.

1 (John / the ticket / her / passed / .) 존은 그녀에게 그 입장권을 건네주었다.

➡ _____John passed her the ticket._____

2 (my brother / an umbrella / me / brought / .) 내 남동생은 내게 우산을 가져다주었다.

➡ _____

3 (a clown / the balloons / us / gave / .) 광대가 우리에게 그 풍선들을 주었다.

➡ _____

4 (I / a tie / my father / bought / .) 나는 우리 아버지에게 넥타이를 사 드렸다.

➡ _____

5 (she / cookies / them / will make / .) 그녀는 그들에게 과자를 만들어 줄 것이다.

➡ _____

6 (Peter / her / your name / asked / .) 피터는 그녀에게 네 이름을 물어보았다.

➡ _____

7 (she / the surprising news / Jim / to / told / .) 그녀는 짐에게 놀라운 소식을 말해 주었다.

➡ _____

8 (Kate's grandpa / the old photos / her / to / showed / .)
케이트의 할아버지는 그녀에게 낡은 사진들을 보여 주셨다.

➡ _____

9 (Mr. Kim / math / us / to / teaches / .) 김 선생님은 우리에게 수학을 가르쳐 주신다.

➡ _____

10 (Evan's mom / spaghetti / them / for / cooked / .)
에번의 엄마는 그들에게 스파게티를 요리해 주셨다.

➡ _____

11 (the bear / some food / its cub / for / got / .) 그 곰은 자기 새끼에게 음식을 조금 구해 주었다.

➡ _____

12 (my teacher / a question / me / of / asked / .) 우리 선생님이 내게 질문을 하나 하셨다.

➡ _____

WORDS · **clown** 광대   · **surprising** 놀라운, 놀랄   · **cub** (곰·사자·여우 등의) 새끼

Grammar & Writing

A `정보 활용하기` 오늘은 피터의 생일이었습니다. 사진을 보고, 가족과 친구들이 피터에게 생일 선물로 무엇을 주었는지 주어진 말을 사용하여 다음 문장을 완성하세요.

1

(a bike)
Dad ___gave Peter a bike___ for his birthday.

2

(a watch)
Mom _____ for his birthday.

3

(a backpack)
Peter's grandparents _____ for his birthday.

4

(a toy car)
Sam _____ for his birthday.

5

(a yo-yo)
Diane _____ for his birthday.

6

(a top)
Mike _____ for his birthday.

WORDS   · **backpack** 배낭   · **grandparents** 조부모   · **yo-yo** 요요   · **top** 팽이

B 표 해석하기 다음은 에이미가 가족과 친구들을 위해 한 일을 정리한 표입니다. 표를 보고, 다음 문장을 완성하세요.

누구에게	무엇을	누구에게	무엇을
Dad	a newspaper	Ben	ice cream
Mom	a sandwich	Janet	her cap
Grandma	e-mail	Phil	a new baseball card

1 A: What did Amy do for Dad?
   B: She _____brought Dad a newspaper_____. (brought)

2 A: What did Amy do for Mom?
   B: She _____. (made)

3 A: What did Amy do for Grandma?
   B: She _____. (sent)

4 A: What did Amy do for Ben?
   B: She _____. (bought)

5 A: What did Amy do for Janet?
   B: She _____. (found)

6 A: What did Amy do for Phil?
   B: She _____. (got)

WORDS · **newspaper** 신문   · **find** 찾아 주다   · **get** 구해 주다

UNIT TEST 02

[1-2] 다음 중 동사와 우리말 뜻이 <u>잘못</u> 짝지어진 것을 고르세요.

1 ❶ ask - ～에게 …을 물어보다　　❷ bring - ～에게 …을 가져다주다
　　❸ make - ～에게 …을 만들어 주다　　❹ lend - ～에게 …을 빌리다
　　❺ give - ～에게 …을 주다

2 ❶ buy - ～에게 …을 사 주다　　❷ show - ～에게 …을 보여 주다
　　❸ get - ～에게 …을 구해 주다　　❹ teach - ～에게 …을 가르쳐 주다
　　❺ send - ～에게 …을 쓰다

[3-4] 다음 문장의 빈칸에 알맞은 말을 고르세요.

3

> He told _____ the secret.

　　❶ we　　　　❷ us　　　　❸ our　　　　❹ for us　　　　❺ to us

4

> She made some cookies _____ you.

　　❶ for　　　　❷ to　　　　❸ of　　　　❹ on　　　　❺ by

[5-6] 다음 주어진 말이 들어갈 위치로 알맞은 것을 고르세요.

5　 me 　Mike ❶ showed ❷ his ❸ iguana ❹ this morning ❺.
마이크는 오늘 아침 내게 자기 이구아나를 보여 주었다.

6　 of 　My ❶ teacher ❷ asked ❸ a question ❹ me ❺.
우리 선생님은 내게 질문을 하나 하셨다.

[7-8] 다음 문장의 빈칸에 들어갈 수 <u>없는</u> 말을 고르세요.

7

| Sue gave _____ her eraser. |

❶ we   ❷ him   ❸ Tom   ❹ you   ❺ me

8

| My grandmother _____ me a coat. |

❶ bought   ❷ brought   ❸ sent   ❹ gave   ❺ wanted

[9-10] 다음 문장의 빈칸에 공통으로 알맞은 말을 고르세요.

9

| • I wrote a card _____ my mother.
• They sold their fruit _____ us. |

❶ of   ❷ by   ❸ to   ❹ at   ❺ on

10

| • He cooked dinner _____ his family.
• Dad bought some flowers _____ Mom. |

❶ of   ❷ at   ❸ to   ❹ for   ❺ on

[11-12] 다음 밑줄 친 우리말을 영어로 바르게 옮긴 것을 고르세요.

11

> She sent <u>내게 이메일을</u>.

❶ my e-mail   ❷ to me e-mail   ❸ e-mail me

❹ me e-mail   ❺ e-mail for me

12

> Mr. Wright found <u>그녀에게 그녀의 강아지를</u>.

❶ her puppy   ❷ to her a puppy   ❸ she her puppy

❹ her puppy to her   ❺ her puppy for her

[13-14] 다음 문장에서 괄호 안의 말을 바르게 배열한 것을 고르세요.

13

> My mother (a storybook / us / read) before bed.

❶ us a storybook read   ❷ a storybook read us

❸ read us a storybook   ❹ read a storybook us

❺ us read a storybook

14

> Eva (the tickets / them / for / got).

❶ the tickets them got for   ❷ got the tickets for them

❸ got for the tickets them   ❹ got for them the tickets

❺ got them for the tickets

[15 – 16] 다음 중 밑줄 친 부분이 잘못된 문장을 고르세요.

15 ❶ You gave <u>him your toy car</u>. ❷ She passed <u>me the ball</u>.

❸ He bought <u>a shirt Jane</u>. ❹ I made <u>her a kite</u>.

❺ Dad asked <u>me her name</u>.

16 ❶ Bill showed <u>his new sneakers to me</u>.

❷ Ms. Stone taught <u>English to us</u>.

❸ He cooked <u>Indian food for them</u>.

❹ John's sister found <u>his socks for him</u>.

❺ She asked <u>my phone number for him</u>.

[17 – 18] 다음 짝지어진 두 문장이 같은 뜻이 되도록 빈칸에 알맞은 말을 고르세요.

17
> He gave his dog a bone. = He gave _____.

❶ his dog to a bone ❷ a bone to his dog

❸ his dog for a bone ❹ a bone for his dog

❺ a bone of his dog

18
> She made her cat a comfortable bed. = She made _____.

❶ her cat to a comfortable bed ❷ a comfortable bed to her cat

❸ her cat for a comfortable bed ❹ a comfortable bed for her cat

❺ a comfortable bed of her cat

[19-21] 짝지어진 두 문장이 같은 뜻이 되도록 빈칸에 알맞은 말을 쓰세요.

19 Let's send her a birthday card.

　= Let's send a birthday card _____ _____.

20 Ben's aunt bought him new soccer shoes.

　= Ben's aunt bought new soccer shoes _____ _____.

21 I asked Jenny his e-mail address.

　= I asked his e-mail address _____ _____.

[22-25] 다음 우리말 뜻과 같도록 주어진 말을 사용하여 문장을 쓰세요.

22 그녀는 우리에게 자기 이구아나를 보여 주었다. (show, her iguana)

　➡ _____

23 그는 자기 친구에게 편지를 한 통 썼다. (write, a letter)

　➡ _____

24 너는 내게 아이스크림을 사 주었다. (buy, ice cream)

　➡ _____

25 우리는 그에게 이름을 물어보았다. (ask, his name)

　➡ _____

1 목적어가 두 개 필요한 동사

❶ 수여동사는 '누구에게'에 해당하는 ^{1} [_____]와 '무엇을'에 해당하는 ^{2} [_____]를 함께 쓰는 동사이다.

❷ 수여동사 뒤에 두 목적어가 함께 올 때는 「수여동사+^{3}[_____]+^{4}[_____]」의 순서가 된다.

2 수여동사가 있는 문장 바꿔 쓰기

❶ 수여동사＋직접목적어＋^{1}[_____]＋간접목적어: give, pass, send, show, teach, tell, write 등

❷ 수여동사＋직접목적어＋^{2}[_____]＋간접목적어: buy, cook, find, get, make 등

❸ 수여동사＋직접목적어＋^{3}[_____]＋간접목적어: ask 등

Check Up　그림을 보고, 알맞은 말을 찾아 다음 대화의 빈칸에 쓰세요.

to　　me　　the book　　for

REVIEW TEST 01

[1 – 3] 다음 문장의 빈칸에 알맞은 말을 고르세요.

1

She _____ a firefighter. 그녀는 소방관이 되었다.

❶ became   ❷ looked   ❸ got   ❹ gave   ❺ turned

2

You _____ like a movie star. 너는 영화배우처럼 보인다.

❶ are   ❷ become   ❸ look   ❹ sound   ❺ ask

3

He _____ us the picture. 그는 우리에게 그 사진을 보여 주었다.

❶ turned   ❷ grew   ❸ looked   ❹ showed   ❺ was

[4 – 5] 다음 문장과 뜻이 같은 문장을 고르세요.

4

The nights got longer.

❶ The nights smelled longer.   ❷ The nights looked longer.
❸ The nights grew longer.   ❹ The nights felt longer.
❺ The nights sounded like longer.

5

I passed Jim the towel.

❶ I passed the towel for Jim.   ❷ I passed the towel to Jim.
❸ I passed the towel of Jim.   ❹ Jim passed me the towel.
❺ I passed Jim to the towel.

[6 – 7] 다음 중 밑줄 친 부분이 <u>잘못된</u> 문장을 고르세요.

6 ❶ I became <u>hungry</u>.

❷ The shoes are <u>too big</u>.

❸ The plan sounds <u>strangely</u>.

❹ She cooked dinner <u>for them</u>.

❺ They sold us <u>fresh vegetables</u>.

7 ❶ This milk went <u>bad</u>.

❷ The room got <u>cold</u>.

❸ She looks like <u>a doctor</u>.

❹ The pie smelled <u>good</u>.

❺ We asked some questions <u>to John</u>.

[8 – 9] 다음 밑줄 친 우리말을 영어로 바르게 옮긴 것을 고르세요.

8

Her face <u>빨개졌다</u>.

❶ is redly   ❷ turned red   ❸ looked redly

❹ felt red   ❺ turned redly

9

Dad bought <u>내게 축구공을</u>.

❶ a soccer ball me   ❷ me for a soccer ball   ❸ a soccer ball of me

❹ me a soccer ball   ❺ a soccer ball to me

[10-11] 다음 우리말 뜻과 같도록 괄호 안에서 알맞은 말을 고르세요.

10

> 그 빵은 짠맛이 난다.

➡ The bread tastes (salt / salty).

11

> 우리 형은 내게 연을 만들어 주었다.

➡ My brother made (me a kite / a kite me).

[12-13] 다음 문장의 빈칸에 들어갈 수 <u>없는</u> 말을 고르세요.

12

> Sandra became _____.

❶ a teacher   ❷ popular   ❸ quietly   ❹ tall   ❺ pretty

13

> I _____ a red sweater to him.

❶ bought   ❷ sent   ❸ gave   ❹ showed   ❺ passed

14 다음 주어진 말이 들어갈 위치로 알맞은 것을 고르세요.

a cap   Paul's ❶ dad ❷ got ❸ him ❹ yesterday ❺.
폴의 아빠는 어제 그에게 모자를 구해 주셨다.

15 다음 중 빈칸에 들어갈 말이 <u>다른</u> 문장을 고르세요.

❶ Don't tell the secret _____ him.

❷ Ms. Palely taught English _____ them.

❸ Grandma read a ghost story _____ us.

❹ The clown gave a rose _____ her.

❺ The man found my puppy _____ me.

[16–20] 다음 우리말 뜻과 같도록 주어진 말을 사용하여 문장을 쓰세요.

16 그는 눈이 보이지 않게 되었다. (go, blind)

➡ _____

17 그것은 신맛이 난다. (sour)

➡ _____

18 나는 피터에게 편지를 썼다. (a letter, Peter)

➡ _____

19 그녀는 우리에게 스파게티를 요리해 주었다. (spaghetti, us)

➡ _____

20 그들은 내게 네 전화번호를 물어보았다. (your phone number, me)

➡ _____

여러 가지 동사 (3)

His name is Leopard. We **call** him **Leo**.

언제 어디서나 인기가 많은
우리 강아지.

이름은 용감한 표범(Leopard)이지만
우리는 그를(him) '레오(Leo)'라고 부른다.
목적어인 him이 누구 또는 무엇인지 설명해 주는
목적격 보어를 함께 쓰는 동사 call.

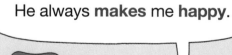

He always **makes** me **happy**.

레오는 항상 나를 행복하게 해 주지.

make 역시 이렇게 목적어 me 뒤에
형용사 happy를 써서 내 행복한 감정을
설명해 줄 수 있다.

> She **told** Leo **to run**.
> Leo is running.

훈련사 누나가 뛰라고 말하니 레오가 뛴다.

tell은 목적어 Leo 뒤에 to부정사
to run을 써서 목적어의 움직임이
나 동작을 설명해 준다.

> She **asked** him **to jump**.

이번엔 점프를 하라고 요청하는 누나.

ask 역시 목적어 him 뒤에 목적격 보어로
to부정사인 to jump를 써서 목적어의
동작을 설명해 주는 동사이다.

동사에 따라 목적격 보어의 형태가 다양하네.
레오가 훈련으로 점점 익숙해지는 것처럼
나도 계속 쓰면서 익숙해져야지.

여러 가지 동사 (3) **53**

01 목적어와 목적격 보어가 필요한 동사

make, call, think, find, keep 등은 목적어와 목적격 보어가 필요한 동사입니다.
목적격 보어는 목적어 뒤에서 목적어의 성질이나 상태, 신분이나 행동 등을 보충 설명해 주는 말로,
명사(구)나 형용사(구)가 목적격 보어로 쓰입니다.

A make/call/think+목적어+명사(구)

make, call, think 등은 목적어 뒤에 목적격 보어로 명사(구)를 쓸 수 있습니다.
이때 목적격 보어로 쓰이는 명사는 목적어의 신분 등을 보충 설명합니다.

make ⋯를 ~로 만들다   call ⋯를 ~라고 부르다   think ⋯를 ~라고 생각하다

He **made** <u>his son</u> **a swimmer**. 그는 자기 아들을 수영 선수로 만들었다.
We **called** <u>him</u> **Joe**. 우리는 그를 조라고 불렀다.
He **thinks** <u>himself</u> **a genius**. 그는 자신을 천재라고 생각한다.

B make/find/think/keep+목적어+형용사(구)

make, find, think, keep 등은 목적어 뒤에 목적격 보어로 형용사(구)를 쓸 수 있습니다.
이때 목적격 보어로 쓰이는 형용사는 목적어의 성질이나 상태 등을 보충 설명합니다.

make ⋯를 ~하게 하다[만들다]   find ⋯가 ~하다는 것을 알다

think ⋯가 ~하다고 생각하다   keep ⋯가[를] ~하게 유지하다 / ⋯가 ~한 상태로 있게 하다

The song **makes** <u>me</u> **happy**. 그 노래는 나를 행복하게 한다.
I **found** <u>the book</u> **interesting**. 나는 그 책이 재미있다는 것을 알았다.
She **thought** <u>that dress</u> **pretty**. 그녀는 저 드레스가 예쁘다고 생각했다.
The coat **keeps** <u>me</u> **warm**. 그 외투는 나를 따뜻하게 해 준다.

Grammar Walk

A 다음 문장에서 목적어를 찾아 밑줄을 치고, 목적격 보어를 찾아 동그라미 하세요.

1 He made <u>her</u> (a doctor).

2 They made their son a great musician.

3 Amber calls his fish Pluffy.

4 Everyone calls him a hero.

5 Mr. and Mrs. Baker called the baby Mark.

6 I thought him a kind boy.

7 Snowie often makes my mom angry.

8 Science makes our lives easier.

9 The food made me sick.

10 I found the book difficult.

11 She found the box heavy.

12 You will find the box empty.

13 We think him rude.

14 I will keep the milk warm.

15 You should keep the door open.

목적격 보어는 목적어 뒤에서 목적어를 보충 설명해 주는 말이야.

He made her a doctor.에서 a doctor는 목적어 her의 직업이 의사라고 보충 설명해 주고 있으니 a doctor가 목적격 보어구나.

목적어 뒤에 '(관사+형용사+)명사'가 오거나 '(부사+)형용사'가 오면 대개 목적어를 보충 설명하는 목적격 보어라고 할 수 있지.

WORDS · **musician** 음악가 · **hero** 영웅 · **life** 삶, 생활 · **empty** 비어 있는, 빈 · **rude** 무례한, 예의 없는

02 동사+목적어+to부정사

want, tell, ask 등은 목적격 보어로 to부정사를 쓰는 동사입니다.
이때 to부정사는 앞에 나온 목적어의 행동을 보충 설명해 줍니다.

A want+목적어+to부정사

want 뒤에 목적어와 to부정사가 오면 '(목적어)가 ~하기를 원하다'라는 뜻입니다.

I **want** <u>you</u> **to finish** your homework. 나는 네가 숙제를 끝내기를 원한다.
Mr. Wood **wanted** <u>his son</u> **to stay** here. 우드 씨는 자기 아들이 여기에 머무르기를 원했다.

B tell+목적어+to부정사

tell 뒤에 목적어와 to부정사가 오면 '(목적어)에게 ~하라고 말하다'라는 뜻입니다.

Dad **told** <u>me</u> **to talk** to Carol. 아빠는 내게 캐럴에게 말하라고 말씀하셨다.
She **told** <u>us</u> **to hurry** up. 그녀는 우리에게 서두르라고 말했다.
They **told** <u>her</u> **to close** her eyes. 그들은 그녀에게 눈을 감으라고 말했다.

C ask+목적어+to부정사

ask 뒤에 목적어와 to부정사가 오면 '(목적어)에게 ~해 달라고 부탁[요구/요청]하다'라는 뜻입니다.

I **asked** Marvin **to carry** the box. 나는 마빈에게 그 상자를 날라 달라고 부탁했다.
Bill **asked** <u>me</u> **to wait** for him. 빌은 내게 자기를 기다려 달라고 부탁했다.
My sister **asked** <u>me</u> **to help** her. 내 여동생은 내게 자기를 도와 달라고 부탁했다.

I **want** you **to clean** your room.

I **told** you **to clean** your room.

Grammar Walk

정답 및 해설 11쪽

A 다음 문장에서 동사를 찾아 동그라미 하고, 목적격 보어를 찾아 밑줄을 치세요.

1 I (want) you <u>to make your bed.</u>

2 He wants you to leave early.

3 My mother wants me to study hard.

4 He wanted his dog to catch the ball.

5 Ms. White wanted him to paint the fence.

6 She told the children to wash their hands.

7 The doctor told me to take medicine.

8 She told her daughter to lock the door.

9 The coach told the player to try again.

10 I will tell Clara to call you.

11 I asked my brother to help me.

12 She always asks John to be on time.

13 Bob asked me to come to his party.

14 The kid asked his mother to bring his umbrella.

15 Mary asked him to be quiet.

목적어 뒤에 to부정사가 오면 목적어의 행동을 보충 설명해 준다고 했어. I want you to make your bed.에서 you to make your bed는 '네가 네 잠자리를 정리하는 것'이라는 뜻이야.

to부정사는 뒤에 목적어나 수식어가 함께 올 수 있다는 것을 기억하자.

WORDS · **make one's bed** 잠자리를 정리하다 · **fence** 울타리 · **medicine** 약 · **daughter** 딸 · **try** 해 보다, 시도하다

Grammar Run! ....

A 다음 문장의 괄호 안에서 알맞은 말을 골라 동그라미 하세요.

1 Mrs. Cook (made / called) her son a teacher.

쿡씨는 자기 아들을 선생님으로 만들었다.

2 He will (make / find) Alison a famous singer.

그는 앨리슨을 유명한 가수로 만들 것이다.

3 The practice (made / call) him a great baseball player.

그 연습이 그를 훌륭한 야구 선수로 만들었다.

4 We (call / find) him Captain Hook.

우리는 그를 후크 선장이라고 부른다.

5 They (called / thought) the baby monkey Tripa.

그들은 그 새끼 원숭이를 트리파라고 불렀다.

6 I (found / thought) him a Chinese.

나는 그가 중국인이라고 생각했다.

7 My brother (thinks / makes) Dad the strongest man in the world.

내 남동생은 아빠가 세상에서 가장 힘이 센 사람이라고 생각한다.

목적어의 상태를 설명하는 목적격 보어는 부사처럼 해석되지만 형용사를 써.

8 My puppy made my room (messy / messily).

우리 강아지가 내 방을 엉망으로 만들었다.

9 Brian always makes his parents (happy / happily).

브라이언은 언제나 자기 부모님을 행복하게 한다.

10 The movie made us (sad / sadly).

그 영화는 우리를 슬프게 했다.

11 You will find the book (easy / easily).

너는 그 책이 쉽다는 것을 알게 될 것이다.

「find+목적어+형용사」는 '…가 ~하다는 것을 알다'라는 뜻이고, 「keep+목적어+형용사」는 '…를 ~하게 유지하다'라는 뜻이야.

12 They found the machine (usefully / useful).

그들은 그 기계가 유용하다는 것을 알았다.

13 She found the shoes very (comfortable / comfortably).

그녀는 그 신발이 무척 편하다는 것을 알았다.

14 Karl always keeps his desk (neat / neatly).

칼은 항상 자기 책상을 정돈해 둔다.

15 You have to keep your nails (clean / cleanly).

너는 네 손톱을 깨끗하게 유지해야 한다.

WORDS · **messy** 지저분한, 엉망인   · **useful** 유용한, 쓸모 있는   · **neat** 정돈된, 단정한   · **nail** 손톱

B 다음 문장의 빈칸에 알맞은 말을 골라 동그라미 하세요.

1 I want you _____ my puppy. 나는 네가 우리 강아지를 그려 주기를 원한다.
   ❶ draw   ❷ to draw

2 He wants me _____ early. 그는 내가 일찍 오기를 원한다.
   ❶ come   ❷ to come

3 They wanted Emily _____ the piano. 그들은 에밀리가 피아노를 치기를 원했다.
   ❶ play   ❷ to play

4 She wanted us _____ the movie. 그녀는 우리가 그 영화를 보기를 원했다.
   ❶ see   ❷ to see

5 Mom told Tom _____ his toys. 엄마는 톰에게 그의 장난감을 치우라고 말씀하셨다.
   ❶ put away   ❷ to put away

6 He told you _____ the light. 그는 네게 불을 끄라고 말했다.
   ❶ turn off   ❷ to turn off

7 Dad tells me _____ to teachers. 아빠는 내게 선생님 말씀에 귀 기울이라고 말씀하신다.
   ❶ to listen   ❷ listening

8 The doctor told her _____ her mouth. 그 의사는 그녀에게 입을 벌리라고 말했다.
   ❶ to open   ❷ opening

9 My mother asked me _____ the toilet. 우리 어머니는 내게 변기 청소하는 것을 부탁하셨다.
   ❶ to clean   ❷ cleaning

10 The librarian asked us _____ quiet. 그 사서는 우리에게 조용히 해 달라고 부탁했다.
   ❶ to be   ❷ being

11 I asked Mom _____ a new T-shirt. 나는 엄마에게 새 티셔츠를 사 달라고 부탁드렸다.
   ❶ to buy   ❷ buying

12 She asked Kevin _____ the guitar. 그녀는 케빈에게 기타를 쳐 달라고 부탁했다.
   ❶ to play   ❷ playing

WORDS · **put away** (보관 장소에) 넣다, 치우다   · **turn off** (전기·가스 등을) 끄다   · **toilet** 변기, 화장실   · **librarian** 사서

Grammar Jump!

A 밑줄 친 부분에 주의하여 다음 문장의 우리말 뜻을 완성하세요.

1 Mrs. Edison made her son a great inventor.
➡ 에디슨 부인은 _____자기 아들을 위대한 발명가로_____ 만들었다.

2 I will make my mom happy.
➡ 나는 _____ 해 드릴 것이다.

3 The news made us surprised.
➡ 그 소식은 _____ 했다.

4 People called him Prince.
➡ 사람들은 _____ 불렀다.

5 My grandmother called him a crybaby.
➡ 우리 할머니는 _____ 부르셨다.

6 We think her a great musician.
➡ 우리는 _____ 생각한다.

7 I thought you a brave boy.
➡ 나는 _____ 생각했다.

8 He found the bag heavy.
➡ 그는 _____ 알았다.

9 Mr. Snow found his cat wet.
➡ 스노우 씨는 _____ 알았다.

10 She found the cushion dirty.
➡ 그녀는 _____ 알았다.

11 We have to keep water clean.
➡ 우리는 _____ 유지해야 한다.

12 A refrigerator keeps food fresh.
➡ 냉장고는 _____ 유지해 준다.

「make+목적어+명사(구)」는 '…를 ~로 만들다'라는 뜻이고, 「make+목적어+형용사(구)」는 '…를 ~하게 하다'라는 뜻이야.

「call+목적어+명사(구)」는 '…를 ~라고 부르다'라는 뜻이지.

WORDS
· **surprised** 놀란, 놀라는 · **crybaby** 울보 · **wet** 젖은 · **refrigerator** 냉장고

B 주어진 말을 사용하여 다음 문장을 완성하세요.

1 The man wants his son ___to___ ___be___ happy. (be)

그 남자는 자기 아들이 행복하기를 원한다.

2 She wants me _____ _____ her the book. (buy)

그녀는 내가 자기에게 그 책을 사 주기를 원한다.

3 I want you _____ _____ with us. (stay)

나는 네가 우리와 함께 머무르기를 원한다.

4 They wanted Andrew _____ _____ their club. (join)

그들은 앤드루가 자기들 동아리에 가입하기를 원했다.

5 Susan wants him _____ _____ to her party. (come)

수전은 그가 자기 파티에 오기를 원한다.

6 My parents always tell me _____ _____ harder. (study)

우리 부모님은 항상 내게 더 열심히 공부하라고 말씀하신다.

7 You told them _____ _____ early. (leave)

너는 그들에게 일찍 떠나라고 말했다.

8 Ms. Black told Jim _____ _____ the plants. (water)

블랙 씨는 짐에게 식물에 물을 주라고 말했다.

9 Her father told her _____ _____ . (wait)

그녀의 아버지는 그녀에게 기다리라고 말씀하셨다.

10 Grandma always tells us _____ _____ careful. (be)

할머니는 항상 우리에게 조심하라고 말씀하신다.

11 An old lady asked Peter _____ _____ the bag. (carry)

한 노부인이 피터에게 가방을 들어 달라고 부탁하셨다.

12 I asked my brother _____ _____ me. (help)

나는 우리 오빠에게 나를 도와 달라고 부탁했다.

13 His mother asked him _____ _____ the dishes. (wipe)

그의 어머니는 그에게 그릇을 닦아 달라고 부탁하셨다.

14 You should ask Violet _____ _____ the bike. (fix)

너는 바이올렛에게 그 자전거를 고쳐 달라고 부탁하는 것이 좋겠다.

15 He asked me _____ _____ the letter. (send)

그는 내게 그 편지를 보내 달라고 부탁했다.

WORDS · **stay** 계속 있다, 머무르다 · **careful** 조심하는, 주의 깊은 · **wipe** (먼지·물기 등을) 닦다

Grammar Fly! . . . .

A 다음 중 알맞은 말을 찾아 문장을 완성하세요.

> scared   empty   interesting   healthy   brave   neat   open
> crazy   a good skater   Goodman   Snow White   a soccer player

1 Jack's father made him _____a soccer player_____ .
잭의 아버지는 그를 축구 선수로 만들었다.

2 My cat sometimes makes me _____ .
우리 고양이는 가끔 나를 미치게 만든다.

3 Lightning made us _____ .
번개가 우리를 겁먹게 했다.

4 People called her _____ .
사람들은 그녀를 백설 공주라고 불렀다.

5 We called him _____ .
우리는 그를 굿맨이라고 불렀다.

6 I thought him _____ .
나는 그가 뛰어난 스케이트 선수라고 생각했다.

7 You will find the game _____ .
너는 그 경기가 재미있다는 것을 알게 될 것이다.

8 Bob found the room _____ .
밥은 그 방이 비어 있다는 것을 알았다.

9 Elsa found the boy _____ .
엘사는 그 남자아이가 용감하다는 것을 알았다.

10 Regular exercise keeps us _____ .
규칙적인 운동은 우리를 건강하게 유지해 준다.

11 You should keep your nails _____ .
너는 네 손톱을 단정하게 유지하는 것이 좋겠다.

12 My grandpa always keeps the windows _____ .
우리 할아버지는 늘 창문을 열어 두신다.

> 목적어 뒤에서 목적어의 상태를 설명하는 말이 '~하게'로 부사처럼 해석되더라도 형용사를 써야 한다는 걸 잊지 마.

· **scared** 겁먹은   · **healthy** 건강한   · **crazy** 미친 듯이 화가 난   · **lightning** 번개   · **regular** 규칙적인

B 주어진 말을 바르게 배열하여 다음 문장을 완성하세요.

1 My mother _____wants me to go_____ to bed early. (wants / to go / me)
우리 어머니는 내가 일찍 잠자리에 들기를 원하신다.

2 I _____ your hands before dinner. (you / want / to wash)
나는 네가 저녁 식사 전에 네 손을 씻기를 원한다.

3 Jennifer _____ e-mail. (me / to send / wants)
제니퍼는 내가 이메일을 보내기를 원한다.

4 We _____ the game. (you / wanted / to win)
우리는 네가 그 경기에서 이기기를 원했다.

5 He _____ at three. (me / told / to come)
그는 내게 3시에 온다고 말했다.

6 Mr. Martin _____ the door. (Sam / to close / told)
마틴 씨는 샘에게 그 문을 닫으라고 말했다.

7 She _____ the phone. (you / told / to answer)
그녀는 네게 전화를 받으라고 말했다.

8 My father _____ my room. (told / to clean / me)
우리 아버지는 내게 내 방을 청소하라고 말씀하셨다.

9 His grandma _____ fishing with her. (asked / to go / us)
그의 할머니는 우리에게 같이 낚시하러 가자고 부탁하셨다.

10 I _____ a sandwich. (my sister / to make / asked)
나는 우리 누나에게 샌드위치를 만들어 달라고 부탁했다.

11 My friend always _____ his bike. (asks / to fix / me)
내 친구는 항상 내게 자기 자전거를 고쳐 달라고 부탁한다.

12 The man _____ quiet. (asked / to be / them)
그 남자는 그들에게 조용히 해 달라고 부탁했다.

WORDS · win 이기다　· answer the phone 전화를 받다

Grammar & Writing

A `그림 묘사하기` 오늘 피터는 여러 감정의 변화를 겪었습니다. 그림을 보고, 주어진 말을 사용하여 다음 문장을 완성하세요.

1

(angry)
My puppy ___made___ ___me___ ___angry___.

2

(happy)
The cake _____ _____ _____.

3

(sad)
The movie _____ _____ _____.

4

(surprised)
The news _____ _____ _____.

5

(sleepy)
The book _____ _____ _____.

6

(scared)
The lightning _____ _____ _____.

WORDS
· **news** (신문·방송에 나오는) 뉴스[소식]   · **sleepy** 졸리운, 졸음이 오는

B 도표 해석하기 다음은 부모님들이 자녀들에게 원하는 것을 정리한 도표입니다. 도표를 보고, 다음 문장을 완성하세요.

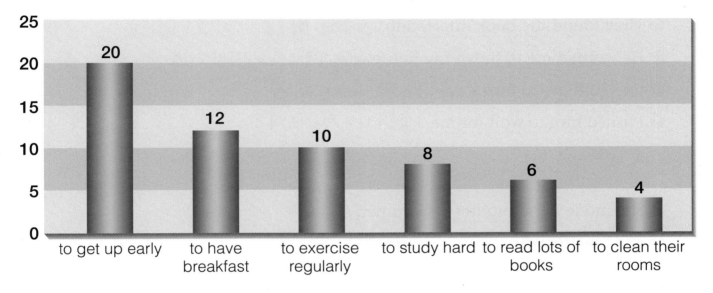

What Do Parents Want Their Children to Do?

1 Twenty parents _____ want their children to get up early _____ .

2 Twelve parents _____ .

3 Ten parents _____ .

4 Eight parents _____ .

5 Six parents _____ .

6 Four parents _____ .

WORDS · **exercise** 운동하다 · **regularly** 규칙적으로

UNIT TEST 03

[1-2] 다음 중 밑줄 친 부분의 우리말 뜻이 잘못된 것을 고르세요.

1   ❶ He calls his dog Max. (자기 개를 맥스라고)

    ❷ They found the book interesting. (재미있는 책을)

    ❸ He wanted me to finish my homework. (내가 내 숙제를 끝내기를)

    ❹ Jack told her to hurry up. (그녀에게 서두르라고)

    ❺ I asked him to wait for me. (그에게 나를 기다려 달라고)

2   ❶ She made her daughter a swimmer. (자기 딸에게 수영 선수를)

    ❷ The sweater will keep you warm. (너를 따뜻하게)

    ❸ I want you to leave early. (네가 일찍 떠나기를)

    ❹ The coach told her to try again. (그녀에게 다시 해 보라고)

    ❺ Bob asked me to come to his party. (내게 자기 파티에 와 달라고)

[3-4] 다음 문장의 빈칸에 알맞은 말을 고르세요.

3   I think _____ a handsome boy.

    ❶ he   ❷ his   ❸ him
    ❹ she   ❺ her

4   The music makes me _____.

    ❶ sadly   ❷ quietly   ❸ easily
    ❹ happily   ❺ happy

[5-6] 다음 주어진 말이 들어갈 위치로 알맞은 것을 고르세요.

5

| him |

My ❶ grandfather ❷ called ❸ a ❹ crybaby ❺.
우리 할아버지는 그를 울보라고 부르셨다.

6

| to |

My parents ❶ always ❷ tell ❸ me ❹ study hard ❺.
우리 부모님은 항상 내게 열심히 공부하라고 말씀하신다.

[7-8] 다음 문장의 빈칸에 공통으로 알맞은 말을 고르세요.

7

- He _____ me a sandwich.
- Lightning _____ us scared.

❶ bought   ❷ called   ❸ made

❹ told   ❺ wanted

8

- I wanted her _____ bring my umbrella.
- She asked me _____ come at 6 o'clock.

❶ of   ❷ with   ❸ to

❹ for   ❺ on

[9-10] 다음 밑줄 친 우리말을 영어로 바르게 옮긴 것을 고르세요.

9

You should keep 네 손톱을 단정하게.

❶ your nails neat   ❷ your nails neatly   ❸ neat your nails

❹ neatly your nails   ❺ your nails to neat

10

> We wanted 네가 이기기를.

❶ you winning   ❷ you to win   ❸ you win

❹ you won   ❺ to win you

[11–12] 다음 문장의 괄호 안에서 알맞은 말을 고르세요.

11 We found the sofa (comfortable / comfortably).

12 She told me (wash / to wash) my hands.

[13–14] 다음 중 밑줄 친 부분이 잘못된 문장을 고르세요.

13 ❶ My dog sometimes makes me <u>angrily</u>.

❷ I thought him <u>a great skater</u>.

❸ You will find the book <u>difficult</u>.

❹ People called <u>her</u> Snow White.

❺ She kept the window <u>open</u>.

14 ❶ He told me <u>to take</u> medicine.

❷ She wants you <u>to come</u> early.

❸ The librarian asked us <u>be quiet</u>.

❹ He made his son <u>a great musician</u>.

❺ We have to keep water <u>clean</u>.

[15 – 16] 다음 문장의 빈칸에 들어갈 수 <u>없는</u> 말을 고르세요.

15

> I found the bag _____.

❶ empty   ❷ heavily   ❸ dirty

❹ expensive   ❺ old

16

> They wanted Andrew _____.

❶ to join their club   ❷ to stay with them   ❸ to be happy

❹ going to bed early   ❺ to have breakfast

[17 – 18] 다음 문장의 빈칸에 알맞은 말이 순서대로 바르게 짝지어진 것을 고르세요.

17

> • My parents call _____. 우리 부모님은 나를 프린스라고 부르신다.
> • She told _____ in the car. 그녀는 내게 차에서 기다리라고 말했다.

❶ me to Prince – me to wait   ❷ me Prince – me wait

❸ Prince for me – to wait me   ❹ me Prince – wait to me

❺ me Prince – me to wait

18

> • Brian keeps _____. 브라이언은 자기 책상을 깨끗하게 유지한다.
> • Dad asked _____ home early. 아빠는 내게 일찍 집에 오라고 부탁하셨다.

❶ clean his desk – me coming   ❷ his clean desk – come to me

❸ his desk cleanly – me come   ❹ his desk clean – me to come

❺ his desk clean – me come

정답 및 해설 13~14쪽

[19-20] 다음 문장에서 밑줄 친 부분을 바르게 고쳐 쓰세요.

19 He always makes his mom <u>happily</u>.

➡ _____

20 Max told his dog <u>catching</u> the ball.

➡ _____ _____

[21-25] 다음 우리말 뜻과 같도록 주어진 말을 사용하여 문장을 쓰세요.

21 나는 그 책이 쉽다는 것을 알았다. (find, easy, the book)

➡ _____

22 우리는 그가 훌륭한 선생님이라고 생각한다. (think, a good teacher)

➡ _____

23 그들은 그녀를 유명한 과학자로 만들었다. (make, a famous scientist)

➡ _____

24 그녀는 내게 문을 열어 달라고 부탁했다. (ask, open the door)

➡ _____

25 그는 내게 일찍 자라고 말했다. (tell, go to bed early)

➡ _____

1 목적어와 목적격 보어가 필요한 동사

❶ 목적어 뒤에서 목적어를 보충 설명해 주는 ¹[＿＿＿]가 필요한 동사들이 있다.

❷ make, call, think 등은 목적격 보어로 ²[＿＿＿]를 쓸 수 있다.

❸ make, find, think, keep 등은 목적격 보어로 ³[＿＿＿]를 쓸 수 있다.

2 동사+목적어+to부정사

❶ want+목적어+¹[＿＿＿]: (목적어)가 ~하기를 원하다

❷ tell+목적어+to부정사: (목적어)에게 ~하라고 ²[＿＿＿]

❸ ³[＿＿＿]+목적어+to부정사: (목적어)에게 ~해 달라고 부탁[요청/요구]하다

Check Up 그림을 보고, 알맞은 말을 찾아 다음 대화의 빈칸에 쓰세요.

Prince	dirty	to eat	angry

여러 가지 동사 (4)

요즘 막내 삼촌이 여행을 가신 부모님을
대신해 우리 집에 와 계신다.

see는 목적어 him의 동작을 설명해 주는
목적격 보어를 동사원형 sleep으로
나타낼 수 있다.

> **I saw him sleep.**

삼촌이 주무시고 계시네?

> **My uncle watched me eat cookies.**

깜짝이야!
삼촌이 어느새 나를 보고 계신다.

watch 역시 목적어 me 뒤에
동사원형 eat를 써서
목적어의 행동을 설명하지.

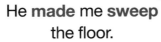

He **made** me **sweep** the floor.

지저분한 걸 싫어하시는 삼촌.
내가 바닥을 쓸게 만드셨다.

make처럼 목적어 me 뒤에
동사원형 sweep을 써서 어떤 행동을
하게 만드는 동사는 사역동사라고 한다.

어? 침대 정리를 안 하셨잖아?

I **have** him **make** the bed.

이번엔 반대로 내가 삼촌이
침대 정리를 하게 했다.

자기 뒷정리는 자기가 알아서!
후훗.

01 사역동사+목적어+동사원형

'(목적어)에게 ~하라고 시키다'라는 의미를 가진 동사를 사역동사라고 합니다.
사역동사 make, let, have의 목적어 뒤에는 동사원형을 씁니다.
이때 동사원형은 목적어의 행동을 보충 설명하는 목적격 보어입니다.

A make+목적어+동사원형

make의 목적어 뒤에 동사원형을 쓰면 '(목적어)가 ~하게 만들다[시키다]'라는 뜻입니다.

He **makes** us **laugh**. 그는 우리가 웃게 만든다.
She **makes** me **smile**. 그녀는 내가 미소 짓게 만든다.
The man **made** them **cry**. 그 남자는 그들이 울게 만들었다.

B let+목적어+동사원형

let의 목적어 뒤에 동사원형을 쓰면 '(목적어)가 ~하게 해 주다'라는 뜻입니다.

Tom **lets** me **use** his computer. 톰은 내가 자기 컴퓨터를 사용하게 해 준다.
You **let** her **play** the piano. 너는 그녀가 피아노를 치게 해 주었다.

💡 let은 불규칙하게 변하는 동사로 과거형도 let으로 씁니다.

C have+목적어+동사원형

have의 목적어 뒤에 동사원형을 쓰면 '(목적어)가 ~하게 하다'라는 뜻입니다.

My father **has** me **get** up early. 우리 아버지는 내가 일찍 일어나게 하신다.
My sister **had** me **come** home early. 우리 누나는 내가 집에 일찍 오게 했다.
My mother **had** us **wash** the dishes. 우리 어머니는 우리가 설거지를 하게 하셨다.

He always **makes** me **jump**.

She always **lets** me **rest**.

Grammar Walk

정답 및 해설 14~15쪽

A 다음 문장에서 사역동사를 찾아 동그라미 하고, 목적격 보어인 동사원형을 찾아 밑줄을 치세요.

1 They (made) me <u>wait</u> for hours.

2 My uncle makes the dog sit down.

3 The coach made him jump again.

4 Fred sometimes makes his sister cry.

5 The baby always makes them smile.

6 I will let you use my ruler.

7 My father let me go out.

8 He lets me leave early.

9 The parents let their children watch TV.

10 I will let you see my pictures.

11 She had the man fix her computer.

12 My mom had me clean my room.

13 She had Beth answer the phone.

14 I will have her call you.

15 Her parents had her study hard.

사역동사의 목적어 뒤에 나오는 동사원형은 목적어의 행동을 보충 설명해 주는 목적격 보어야.

They made me wait for hours.에서 wait는 me의 행동을 보충해 주는 거니까 me wait는 '내가 기다리게'라는 뜻이 되겠구나.

WORDS · **for hours** 몇 시간 동안이나   · **sit down** 앉다   · **coach** (스포츠 팀의) 코치   · **go out** 외출하다, 나가다

02 지각동사+목적어+동사원형

see, watch, hear, feel처럼 '~을 보다, 듣다, 느끼다'라는 뜻을 가진 동사를 지각동사라고 합니다.
지각동사의 목적어 뒤에는 동사원형을 쓰고, 이때 동사원형은 목적어의 행동이나 동작을 설명해 주는
목적격 보어입니다.

A see/watch+목적어+동사원형

see, watch의 목적어 뒤에 동사원형을 쓰면 '(목적어)가 ~하는 것을 보다'라는 뜻입니다.

I **saw** <u>you</u> **sing**. 나는 네가 노래 부르는 것을 보았다.
We will **see** <u>Minho</u> **play** baseball. 우리는 민호가 야구하는 것을 볼 것이다.
He **watched** <u>Rachel</u> **dance**. 그는 레이철이 춤추는 것을 지켜보았다.

B hear+목적어+동사원형

hear의 목적어 뒤에 동사원형을 쓰면 '(목적어)가 ~하는 것을 듣다'라는 뜻입니다.

I sometimes **hear** <u>you</u> **sing**. 나는 가끔 네가 노래하는 것을 듣는다.
We **heard** <u>Minho</u> **speak** English. 우리는 민호가 영어를 말하는 것을 들었다.
They **heard** <u>Mary</u> **play** the violin. 그들은 메리가 바이올린을 켜는 것을 들었다.

C feel+목적어+동사원형

feel의 목적어 뒤에 동사원형을 쓰면 '(목적어)가 ~하는 것을 느끼다'라는 뜻입니다.

He **felt** <u>the table</u> **shake**. 그는 탁자가 흔들리는 것을 느꼈다.
We **feel** <u>the wind</u> **blow**. 우리는 바람이 부는 것을 느낀다.

Grammar Walk

정답 및 해설 15쪽

A 다음 문장에서 지각동사를 찾아 동그라미 하고, 목적격 보어인 동사원형을 찾아 밑줄을 치세요.

1 I (saw) her <u>go</u> to the library.

2 I saw them dance on TV.

3 I watched my father fix the chair.

4 Mr. Black watched Tim swim.

5 We saw the cat chase a mouse.

6 She heard someone come in.

7 I often hear the girl play the violin.

8 Kevin heard them talk about you.

9 You won't hear her sing again.

10 They heard someone cry.

11 I felt someone stand behind me.

12 She felt the train move.

13 He felt the wind blow.

14 We felt the window shake.

15 I feel the water flow.

> I saw her go to the library.에서 go는 her의 행동을 보충해 주는 말이니까 her go는 '그녀가 가는 것'이라는 뜻이 되겠구나.

> 맞아. 목적어를 주어처럼, 목적격 보어인 동사원형을 서술어처럼 '(목적어)가 ~하는 것을'로 해석하면 돼.

Grammar Run!

A 다음 문장의 괄호 안에서 알맞은 말을 골라 동그라미 하세요.

1 He let Amy ((play) / to play) with his toy.

사역동사와 지각동사는 목적어 뒤에 동사원형이 와서 목적어의 행동을 보충 설명해 준다고 했어.

2 My parents won't let me (go / to go) to bed late.

3 I let my brother (ride / rides) my bike.

4 She made Tom (did / do) his homework.

5 He makes Clara (eat / to eat) her vegetables.

6 Mr. Snow had us (to water / water) the plants.

7 The teacher had the students (close / closing) their books.

8 He saw Becky (to wait / wait) for a bus.

사역동사에는 let, make, have 등이 있고, 지각동사에는 see, watch, hear, feel 등이 있어.

9 We watched the plane (take off / to take off).

10 I saw Jack (to enter / enter) the building.

11 I heard a dog (bark / to bark) last night.

12 We heard Bill (to play / play) the guitar.

13 He heard someone (shout / to shout).

14 I felt my cat (lick / to lick) my cheek.

15 She felt the chair (to move / move).

WORDS　· **take off** 이륙하다, 날아오르다　　· **enter** 들어가다[오다]　　· **shout** 소리치다　　· **lick** 핥다　　· **cheek** 볼, 뺨

B 주어진 말을 사용하여 다음 문장을 완성하세요.

1 She lets her children ____get____ ____up____ late on Saturday. (get up)
그녀는 자기 아이들이 토요일에 늦게 일어나게 해 준다.

2 Sally let me _____ her sandwich. (eat)
샐리는 내가 그녀의 샌드위치를 먹게 해 주었다.

3 Mr. Davis makes his students _____ lots of books. (read)
데이비스 선생님은 자기 학생들이 책을 많이 읽게 만드신다.

4 My mother makes me _____ the piano every day. (practice)
우리 어머니는 내가 매일 피아노를 연습하게 만드신다.

5 He had Brad _____ the window. (clean)
그는 브래드가 그 창문을 닦게 했다.

6 Tom's aunt had Tom _____ the grass. (cut)
톰의 이모는 톰이 잔디를 깎게 하셨다.

7 I saw my cat _____ the vase. (break)
나는 우리 고양이가 꽃병을 깨뜨리는 것을 보았다.

8 Jake saw you _____ a marathon. (run)
제이크는 네가 마라톤을 뛰는 것을 보았다.

9 We watched an airplane _____. (fly)
우리는 비행기가 날아가는 것을 지켜보았다.

10 They watched their children _____ soccer. (play)
그들은 자기 아이들이 축구하는 것을 지켜보았다.

11 He heard a car _____ in front of the door. (stop)
그는 차 한 대가 문 앞에 멈추는 소리를 들었다.

12 I often hear a cat _____ at night. (cry)
나는 자주 밤에 고양이가 우는 소리를 듣는다.

13 He heard the phone _____. (ring)
그는 전화가 울리는 소리를 들었다.

14 She felt something _____ her leg. (touch)
그녀는 무엇인가 자기 다리를 만지는 것을 느꼈다.

15 Sherlock felt someone _____ him. (follow)
셜록은 누군가 자기를 뒤따라오는 것을 느꼈다.

WORDS · **grass** 잔디 · **break** 깨다, 부수다 · **vase** 꽃병 · **ring** (전화가) 울리다, 오다 · **follow** (~의 뒤를) 따라오다

Grammar Jump!

A 밑줄 친 부분에 주의하여 다음 문장의 우리말 뜻을 완성하세요.

1 My dad let me invite my friends.

➡ 우리 아빠는 내가 _____ 내 친구들을 초대하게 해 주셨다 _____.

2 Bill sometimes lets his sister play with his ball.

➡ 빌은 가끔 자기 여동생이 _____.

3 Dan's mother makes him have breakfast.

➡ 댄의 어머니는 그가 _____.

4 He made us wear the yellow hats.

➡ 그는 우리가 _____.

5 Diana's father has her walk the dog.

➡ 다이애나의 아버지는 그녀가 _____.

6 Ms. Woods had him fix her car.

➡ 우즈 씨는 그가 _____.

7 I saw you feed the cat.

➡ 나는 네가 _____.

8 She saw them play basketball.

➡ 그녀는 그들이 _____.

9 We watched a dog run upstairs.

➡ 우리는 개 한 마리가 _____.

10 We heard a boy laugh loudly.

➡ 우리는 한 남자아이가 _____.

11 My sister heard you talk to him.

➡ 내 여동생은 네가 _____.

12 I felt the glass shake.

➡ 나는 유리잔이 _____.

> 사역동사와 지각동사의 목적어 뒤에 동사원형이 있네? 목적어와 동사원형을 '(목적어)가 (동사원형)하게' 또는 '(목적어)가 (동사원형)하는 것'으로 해석하면 되겠구나.

WORDS · **invite** 초대하다 · **upstairs** 위층[2층]으로 · **laugh** (소리 내어) 웃다 · **loudly** 큰 소리로 · **glass** 유리잔

B 다음 중 알맞은 말을 찾아 문장을 완성하세요.

| knock | watch | eat | dance | use | touch |
| get up | cook | leave | wash | play | clear | ride |

1 My dad let me ___watch___ TV.
우리 아빠는 내가 TV를 보게 해 주셨다.

2 I let her _____ my eraser.
나는 그녀가 내 지우개를 사용하게 해 주었다.

3 Ron's mother makes him _____ _____ early.
론의 어머니는 그가 일찍 일어나게 만드신다.

4 He made me _____ the room.
그는 내가 방을 떠나게 만들었다.

5 She had Hans _____ the dishes.
그녀는 한스가 설거지를 하게 했다.

6 My sister had me _____ the desk.
우리 언니는 내가 책상을 치우게 했다.

> 빈칸의 위치가 목적어 뒤니까 모두 목적어를 보충 설명하는 목적격 보어구나!

7 I saw you _____ ice cream.
나는 네가 아이스크림을 먹는 것을 보았다.

8 We saw him _____ on the stage.
우리는 그가 무대에서 춤추는 것을 보았다.

9 I watched her _____ dinner.
나는 그녀가 저녁 식사를 요리하는 것을 지켜보았다.

10 They watched Lisa _____ a bike.
그들은 리사가 자전거를 타는 것을 지켜보았다.

11 She heard Tom _____ the cello.
그녀는 톰이 첼로를 켜는 것을 들었다.

12 I heard somebody _____ on the door.
나는 누군가 문을 두드리는 것을 들었다.

13 I felt my hamster _____ my hand.
나는 내 햄스터가 내 손을 만지는 것을 느꼈다.

WORDS · **knock** 두드리다, 노크하다 · **clear** 치우다 · **stage** 무대 · **hamster** 햄스터

Grammar Fly! . . . .

A 주어진 말을 사용하여 다음 문장을 완성하세요.

1　Jimmy ___let___ Matt ___use___ his computer. (use, let)
지미는 맷이 자기 컴퓨터를 사용하게 해 주었다.

2　My mother _____ me _____ to Sue's home. (go, let)
우리 어머니는 내가 수의 집에 가게 해 주셨다.

3　The rain _____ Chris _____ at home. (stay, make)
비는 크리스가 집에 머무르게 만들었다.

4　Sad movies always _____ her _____. (cry, make)
슬픈 영화는 항상 그녀를 울게 만든다.

5　Bob _____ his sister _____ his room. (clean, make)
밥은 자기 여동생이 그의 방을 청소하게 만들었다.

6　She _____ John _____ his shoes. (wash, have)
그녀는 존이 그의 신발을 빨게 했다.

7　He _____ Lisa _____ up the trash. (pick, have)
그는 리사가 쓰레기를 줍게 했다.

8　I _____ him _____ to the library. (go, see)
나는 그가 도서관에 가는 것을 보았다.

9　We _____ a boy _____ a kite. (fly, see)
우리는 한 남자아이가 연을 날리는 것을 보았다.

10　The captain _____ the sun _____. (rise, watch)
그 선장은 해가 뜨는 것을 지켜보았다.

11　He _____ the sheep _____ grass every day. (eat, watch)
그는 매일 양들이 풀을 먹는 것을 지켜본다.

12　They _____ a man _____ last night. (shout, hear)
그들은 어젯밤 한 남자가 소리를 지르는 것을 들었다.

13　I _____ you _____ a song. (sing, hear)
나는 네가 노래를 부르는 것을 들었다.

14　We _____ the wind _____. (blow, feel)
우리는 바람이 부는 것을 느꼈다.

15　He _____ the rain _____ on his face. (fall, feel)
그는 얼굴에 비가 떨어지는 것을 느꼈다.

WORDS　· **pick up** ~을 집다　· **trash** 쓰레기　· **rise** (해·달이) 뜨다　· **grass** (가축 먹이용) 풀　· **fall** 떨어지다, 내리다

B 주어진 말을 바르게 배열하여 다음 문장을 완성하세요.

1 My aunt _____let us jump_____ on the sofa. (let / jump / us)
우리 이모는 우리가 소파에서 뛰게 해 주셨다.

2 Sally _____ her cell phone. (let / use / Tom)
샐리는 톰이 그녀의 휴대 전화를 쓰게 해 주었다.

3 His dad _____ a diary. (makes / keep / him)
그의 아빠는 그가 일기를 쓰게 만드신다.

4 Peter _____ every day. (makes / exercise / his cat)
피터는 매일 자기 고양이가 운동하게 만든다.

5 My sister _____ a book. (has / read / me)
우리 누나는 내가 책을 읽게 한다.

6 He _____ the window. (had / close / Betty)
그는 베티가 창문을 닫게 했다.

7 I _____ a tree. (saw / climb / a girl)
나는 한 여자아이가 나무에 올라가는 것을 보았다.

8 Newton _____. (saw / fall / an apple)
뉴턴은 사과 하나가 떨어지는 것을 보았다.

9 The coach _____ the ball. (watched / throw / her)
그 코치는 그녀가 공을 던지는 것을 지켜보았다.

10 You _____ across the river. (watched / swim / him)
너는 그가 강을 헤엄쳐 건너는 것을 지켜보았다.

11 Bill's grandfather _____ the piano. (watches / play / Bill)
빌의 할아버지는 빌이 피아노 치는 것을 지켜보신다.

12 I _____ my name. (heard / call / you)
나는 네가 내 이름을 부르는 소리를 들었다.

13 They _____ the door. (heard / open / her)
그들은 그녀가 문 여는 소리를 들었다.

14 Ms. Shirley _____. (felt / move / the bus)
셜리 씨는 그 버스가 움직이는 것을 느꼈다.

15 She _____ her nose. (felt / lick / her cat)
그녀는 자신의 고양이가 자기 코를 핥는 것을 느꼈다.

WORDS · **keep a diary** 일기를 쓰다　· **climb** 오르다, 올라가다　· **throw** 던지다　· **swim across** (~을) 헤엄쳐 건너다

Grammar & Writing

A 정보 활용하기 어제 잭은 동물원에 현장 학습을 다녀왔습니다. 사진을 보고, 주어진 말을 사용하여 잭이 본 동물들에 관한 문장을 완성하세요.

1

(a monkey, eat bananas)

Jack _____saw a monkey eat bananas_____.

2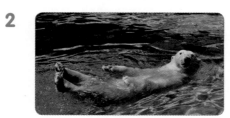

(a polar bear, swim)

Jack _____.

3

(dolphins, jump)

Jack _____.

4

(a lion, sleep)

Jack _____.

5

(an elephant, carry a soccer ball)

Jack _____.

6

(a hippo, yawn)

Jack _____.

 WORDS · **polar bear** 북극곰   · **carry** 나르다   · **hippo** 하마   · **yawn** 하품하다, 입을 떡 벌리고 있다

B 　상황 묘사하기 　오늘은 애니네 집 대청소하는 날입니다. 할머니께서 가족들이 해야 할 일을 정해 주셨습니다.
그림을 보고, 할머니께서 가족들에게 하게 하신 일이 무엇인지 주어진 말을 사용하여 문장을 완성하세요.

1 (fix the door)
Grandma _____had Dad fix the door_____ .

2 (clean the table)
Grandma _____ .

3 (mop the floor)
Grandma _____ .

4 (clean the window)
Grandma _____ .

5 (wash the dishes)
Grandma _____ .

6 (take out the garbage)
Grandma _____ .

 · **mop** 대걸레질하다 　· **take out** 밖에 내놓다 　· **garbage** 쓰레기

UNIT TEST 04

[1-2] 다음 중 밑줄 친 부분의 우리말 뜻이 <u>잘못된</u> 것을 고르세요.

1 ❶ He makes <u>us</u> <u>laugh</u>. (우리가 웃게)

❷ Tom lets <u>me</u> <u>use</u> his computer. (나를 사용하게)

❸ Mom had <u>him</u> <u>get up</u> early. (그가 일어나게)

❹ I saw <u>you</u> <u>dance</u>. (네가 춤추는 것을)

❺ They heard <u>her</u> <u>sing</u> a song. (그녀가 노래하는 것을)

2 ❶ You made <u>Jack</u> <u>run</u>. (잭이 달리게)

❷ Dad let <u>me</u> <u>watch</u> TV. (내가 보게)

❸ I felt <u>my house</u> <u>shake</u>. (우리 집을 흔드는 것을)

❹ We watched <u>her</u> <u>sleep</u>. (그녀가 자는 것을)

❺ She heard <u>Kevin</u> <u>cry</u>. (케빈이 우는 것을)

[3-4] 다음 문장의 빈칸에 알맞은 말을 고르세요.

3
> He had me _____ the room. 그는 내가 그 방을 청소하게 했다.

❶ cleaning ❷ to clean ❸ cleaned ❹ clean ❺ cleans

4
> We _____ you play the cello. 우리는 네가 첼로를 켜는 소리를 들었다.

❶ heard ❷ wanted ❸ asked ❹ told ❺ hoped

[5-6] 다음 문장의 빈칸에 알맞지 <u>않은</u> 말을 고르세요.

5

> She _____ him go to bed.

❶ had   ❷ let   ❸ made   ❹ saw   ❺ wanted

6

> They watched my father _____.

❶ sing   ❷ dives   ❸ run   ❹ ski   ❺ skate

[7-8] 다음 주어진 말이 들어갈 위치로 알맞은 것을 고르세요.

7 her

They ❶ made ❷ finish ❸ the ❹ homework ❺.
그들은 그녀가 그 숙제를 끝마치게 만들었다.

8 bark

I ❶ heard ❷ a ❸ dog ❹ last night ❺.
나는 어젯밤에 개가 짖는 것을 들었다.

[9-10] 다음 문장의 빈칸에 공통으로 알맞은 말을 고르세요.

9

> • He often _____ lunch outside. 그는 자주 밖에서 점심 식사를 한다.
>
> • Mom always _____ me water the plants.
>   엄마는 항상 내가 그 식물들에게 물을 주게 하신다.

❶ cooks   ❷ asks   ❸ brings   ❹ has   ❺ wants

10

- Her sister _____ hungry. 그녀의 여동생은 배가 고픈 것을 느꼈다.
- Lucy _____ the wind blow. 루시는 바람이 부는 것을 느꼈다.

❶ heard   ❷ had   ❸ smelled   ❹ saw   ❺ felt

[11-12] 다음 문장의 빈칸에 알맞은 말이 순서대로 바르게 짝지어진 것을 고르세요.

11

- Dad makes me _____ my vegetables. 아빠는 내가 채소를 먹게 만드신다.
- He saw you _____ for a bus. 그는 네가 버스를 기다리는 것을 보았다.

❶ to eat - to wait   ❷ eat - to wait   ❸ eat - wait

❹ to eat - wait   ❺ eating - to wait

12

- His aunt let him _____ to bed late. 그의 이모는 그가 늦게 잠자리에 들게 해 주셨다.
- We watched her _____ a tree. 우리는 그녀가 나무에 올라가는 것을 지켜보았다.

❶ go - climb   ❷ to go - to climb   ❸ to go - climb

❹ go - to climb   ❺ goes - climbs

[13-14] 다음 문장의 괄호 안에서 알맞은 말을 고르세요.

13 Ms. Woods had him (fix / to fix) her car.

14 She (heard / told) Jeff laugh loudly.

[15-16] 다음 밑줄 친 우리말을 영어로 바르게 옮긴 것을 고르세요.

15

> He made <u>내가 일찍 떠나게</u>.

❶ me leaving early   ❷ me leave early   ❸ me to leave early

❹ to me leave early   ❺ me left early

16

> We saw <u>네가 연을 날리는 것을</u>.

❶ you fly a kite   ❷ you to fly a kite   ❸ you flies a kite

❹ to you fly a kite   ❺ fly you a kite

[17-18] 다음 중 밑줄 친 부분이 <u>잘못된</u> 문장을 고르세요.

17 ❶ His aunt made him <u>stay</u> at home.

❷ I let her <u>eats</u> my cookies.

❸ You had me <u>clean</u> the room.

❹ We saw you <u>enter</u> the building.

❺ She heard a bird <u>sing</u>.

18 ❶ He watched an apple <u>to fall</u>.

❷ She heard me <u>call</u> her name.

❸ I felt my cat <u>lick</u> my nose.

❹ He made his son <u>eat</u> carrots.

❺ She let him <u>drive</u> her car.

UNIT TEST 04

[19 – 20] 다음 우리말 뜻과 같도록 빈칸에 알맞은 말을 쓰세요.

19 스노우 씨는 우리가 창문을 닫게 하셨다.

➡ Mr. Snow had _____ _____ the windows.

20 그녀는 내가 호수에서 수영하는 것을 지켜보았다.

➡ She watched _____ _____ in the lake.

[21 – 25] 주어진 말을 바르게 배열하여 문장을 쓰세요.

21 (made / jump again / he / his dog / .)

➡ _____

그는 자기 개가 다시 점프하게 만들었다.

22 (had / clean the toilet / my mom / me / .)

➡ _____

우리 엄마는 내가 변기를 청소하게 하셨다.

23 (saw / run a marathon / we / her / .)

➡ _____

우리는 그녀가 마라톤을 뛰는 것을 보았다.

24 (heard / knock on the door / I / you / .)

➡ _____

나는 네가 문을 두드리는 소리를 들었다.

25 (felt / shake / she / a desk / .)

➡ _____

그녀는 책상이 흔들리는 것을 느꼈다.

WRAP UP

1 사역동사＋목적어＋동사원형

'(목적어)에게 ～하라고 시키다'라는 의미를 가진 동사를 ¹[　　　]라고 한다. 사역동사의 목적어 뒤에는 주로 목적격 보어로 ²[　　　]이 온다.

make＋목적어＋³[　　]	let＋목적어＋동사원형	⁴[　　　]＋목적어＋동사원형
(목적어)가 ～하게 만들다	(목적어)가 ～하게 해 주다	(목적어)가 ～하게 하다

2 지각동사＋목적어＋동사원형

'(～을) 보다, 듣다, 느끼다'라는 뜻을 가진 동사를 ¹[　　　]라고 한다. 지각동사의 목적어 뒤에는 주로 목적격 보어로 ²[　　　]이 온다.

see/watch＋목적어＋³[　　]	hear＋목적어＋동사원형	⁴[　　　]＋목적어＋동사원형
(목적어)가 ～하는 것을 보다	(목적어)가 ～하는 것을 듣다	(목적어)가 ～하는 것을 느끼다

Check Up 그림을 보고, 알맞은 말을 찾아 다음 대화의 빈칸에 쓰세요.

come　　catch　　run

REVIEW TEST 02

[1-2] 다음 문장의 빈칸에 알맞은 말을 고르세요.

1

> They _____ him Spiderman. 그들은 그를 스파이더맨이라고 부른다.

❶ call　　❷ make　　❸ think　　❹ tell　　❺ have

2

> You _____ Ricky dance. 너는 리키가 춤추는 것을 보았다.

❶ made　　❷ thought　　❸ found　　❹ saw　　❺ wanted

[3-4] 다음 문장의 빈칸에 알맞은 말이 순서대로 바르게 짝지어진 것을 고르세요.

3

> • I found the book _____. 나는 그 책이 쉽다는 것을 알았다.
> • She thought _____ a kind boy. 그녀는 그가 친절한 남자아이라고 생각했다.

❶ easy – he　　❷ easy – him　　❸ easily – him

❹ easily – he　　❺ easy – his

4

> • He asked me _____ him. 그는 내게 자기를 도와 달라고 부탁했다.
> • She heard Minho _____ English. 그녀는 민호가 영어를 말하는 것을 들었다.

❶ to help – to speak　　❷ help – speak　　❸ help – to speak

❹ to help – speak　　❺ helping – speaking

[5-6] 다음 문장의 빈칸에 공통으로 알맞은 말을 고르세요.

5

> • My puppy _____ my room messy. 우리 강아지가 내 방을 엉망으로 만들었다.
> • The coach _____ him run again. 그 코치는 그가 다시 뛰게 만들었다.

❶ had　　　❷ kept　　　❸ made　　　❹ told　　　❺ found

6

> • Beth _____ lived in Yeoju for 3 years. 베스는 여주에서 3년 동안 살아 왔다.
> • Mom _____ me clean my room. 엄마는 내가 내 방을 청소하게 하신다.

❶ is　　　❷ has　　　❸ let　　　❹ wants　　　❺ hears

[7-8] 다음 문장의 밑줄 친 부분을 바르게 고친 것을 고르세요.

7

> She wants you <u>go</u> to bed early. 그녀는 네가 일찍 잠자리에 들기를 원한다.

❶ to go　　　　　　❷ going　　　　　　❸ went
❹ gone　　　　　　❺ be going

8

> We felt the wind <u>to blow</u>. 우리는 바람이 부는 것을 느꼈다.

❶ blown　　　　　　❷ blows　　　　　　❸ blow
❹ to blowing　　　　❺ to blown

[9 – 10] 다음 우리말을 영어로 바르게 옮긴 것을 고르세요.

9

> 나는 그에게 자전거를 고쳐 달라고 부탁했다.

❶ I asked him fix my bike.　　❷ I asked him to fix my bike.

❸ I asked him fixing my bike.　　❹ I asked him fixes my bike.

❺ I asked him fixed my bike.

10

> 그녀는 내가 그녀의 자를 사용하게 해 주었다.

❶ She let me uses her ruler.　　❷ She let me to use her ruler.

❸ She let me using her ruler.　　❹ She let me used her ruler.

❺ She let me use her ruler.

11 다음 중 잘못된 문장을 고르세요.

❶ Ms. Conrad made her son a pilot.　　❷ She found the box heavy.

❸ Mom wants me study hard.　　❹ He had us close the windows.

❺ We felt the bus move.

[12 – 13] 다음 문장의 괄호 안에서 알맞은 말을 고르세요.

12 The coat keeps me (warm / warmly).

13 They (told / watched) us play soccer.

[14-15] 다음 주어진 말이 들어갈 위치로 알맞은 것을 고르세요.

14   him   ❶ Snowie ❷ often ❸ makes ❹ angry ❺.
스노위는 자주 그가 화나게 만든다.

15   wash   He ❶ will ❷ have ❸ Lisa ❹ the dishes ❺.
그는 리사가 설거지를 하게 할 것이다.

[16-20] 다음 우리말 뜻과 같도록 주어진 말을 사용하여 문장을 완성하세요.

16 우리 할머니는 나를 울보라고 부르신다. (call, a crybaby)

➡ My grandma _____ _____ _____ _____.

17 우리는 그것이 흥미롭다는 것을 알았다. (find, interesting)

➡ We _____ _____ _____.

18 아서는 우리에게 일찍 떠나라고 말했다. (tell, leave)

➡ Arthur _____ _____ _____ _____ early.

19 그의 엄마는 그가 식물에 물을 주게 하셨다. (have, water)

➡ His mom _____ _____ _____ the plants.

20 나는 네가 마라톤을 뛰는 것을 보았다. (see, run)

➡ I _____ _____ _____ a marathon.

수동태 (1)

TV에서 내가 좋아하는 프로그램을 할 시간이에요.

How are you?

Fine!

오늘은 영국!

영국에서는 영어가 쓰인다고 해요.

영어는 스스로 말할 수 없고
사람들에 의해 말해지는 거예요.

English **is spoken** in England.

이렇게 주어가 스스로 하지 않고 수동적으로 당하는 입장에 있다면
수동태를 써서 나타내요.

다리 또한 스스로 만든 것이 아니라,
만들어진 거니까 수동태!

수동태는 「be동사+과거분사」의
형태로 쓰니까 시제에 맞춰 be동사의
알맞은 형태를 써야 해요.

Tower Bridge
was built in 1894.

유명한 작가인 셰익스피어도
영국인이었대요.

그의 책은 전 세계에서 읽혀진다고 해요.
그의 책 역시 읽히는 것이니 책이
주어이면 수동태 문장으로 쓰죠.

His books **are read** around the world.

This book
was written by him.

제게도 책이 한 권 있어요.

이 책은 그에 의해 쓰여진 책이죠.

모든 주어가 스스로 할 수 있는 건 아니에요.
그래서 이렇게 행동을 당하는 주어를 쓰는 수동태로
여러 입장에서 생각하고 표현하는 것도 중요해요.

01 수동태

주어가 능동적으로 행동을 하는 경우가 있고, 주어가 수동적으로 동작을 당하는 경우가 있습니다.

A 능동태와 수동태

주어가 직접 행동을 하여 '(주어가) ~하다'라는 의미를 가진 문장을 능동태라고 합니다.
주어가 동작을 당하여 '(주어가) ~당하다, ~되다'라는 뜻을 가진 문장을 수동태라고 합니다.

<u>Lisa</u> **cleans** the room. 리사가 그 방을 청소한다. 〈능동태〉
➡ 주어인 'Lisa'가 직접 '청소하는' 것.

<u>The room</u> **is cleaned** by Lisa. 그 방은 리사에 의해 청소된다. 〈수동태〉
➡ 주어인 'The room'이 '청소되는' 것.

<u>Gogh</u> **painted** the picture. 고흐가 그 그림을 그렸다. 〈능동태〉
➡ 주어인 'Gogh'가 직접 '그린' 것.

<u>The picture</u> **was painted** by Gogh. 그 그림은 고흐에 의해 그려졌다. 〈수동태〉
➡ 주어인 'The picture'가 '그려진' 것.

B 수동태의 형태

'(주어가) ~당하다, ~되다'라는 뜻의 수동태 문장은 「be동사+과거분사」를 사용합니다.
이때 be동사는 주어와 시제에 따라 달라집니다.

English **is used** in Singapore. 싱가포르에서는 영어가 사용된다.

Many cars **are made** in Korea. 많은 자동차들이 한국에서 만들어진다.

The chair **was broken**. 의자가 부서졌다.

💡 과거분사형은 과거형과 마찬가지로 동사원형에 -(e)d가 붙은 형태가 많지만, 형태가 불규칙하게 변하는 경우도 있습니다. 자주 쓰이는 불규칙 동사의 과거형과 과거분사형은 192쪽을 참고하세요.

The vase **was broken**.

The newspaper **was torn**.

Grammar Walk

A 다음 문장이 능동태인지 수동태인지 알맞은 말을 골라 동그라미 하세요.

1 I clean the room every day. ((능동태) / 수동태)
나는 매일 그 방을 청소한다.

주어가 능동적으로 '하는' 것인지 수동적으로 '당하는' 것인지 의미를 잘 생각해 봐.

2 The room is cleaned every day. (능동태 / 수동태)
그 방은 매일 청소된다.

3 He invented the machine. (능동태 / 수동태)
그는 그 기계를 발명했다.

4 The machine was invented in 1850. (능동태 / 수동태)
그 기계는 1850년에 발명되었다.

5 She took these pictures. (능동태 / 수동태)
그녀가 이 사진들을 찍었다.

6 These pictures were taken last year. (능동태 / 수동태)
이 사진들은 작년에 찍혔다.

7 Tom broke the window. (능동태 / 수동태)
톰이 그 유리창을 깨뜨렸다.

8 The window was broken. (능동태 / 수동태)
그 유리창은 깨졌다.

B 다음 동사를 「be동사+과거분사」로 바꿔 쓸 때 빈칸에 알맞은 말을 쓰세요.

1 make ➡ be _____   **2** steal ➡ be _____

3 build ➡ be _____   **4** write ➡ be _____

5 send ➡ be _____   **6** see ➡ be _____

7 speak ➡ be _____   **8** know ➡ be _____

9 cut ➡ be _____   **10** give ➡ be _____

11 break ➡ be _____   **12** find ➡ be _____

WORDS · **invent** 발명하다   · **machine** 기계   · **take a picture** 사진을 찍다   · **steal** 훔치다, 도둑질하다

02 현재/과거 시제의 수동태

수동태가 「be동사+과거분사」의 형태이므로 수동태의 시제에 따라 be동사의 형태가 달라집니다.

A 현재 시제의 수동태

현재 시제의 수동태는 be동사의 현재형을 사용하여 「am/are/is+과거분사」로 씁니다.

He **is loved** around the world. 그는 세계적으로 사랑받는다.

The door **is locked** at 9 p.m. 그 문은 밤 9시에 잠긴다.

English **is spoken** in Australia. 호주에서는 영어가 쓰인다.

They **are seen** at night. 그것들은 밤에 보인다.

A lot of houses **are built** every year. 매년 많은 집들이 지어진다.

Their apples **are sold** at the market. 그들의 사과는 그 시장에서 팔린다.

B 과거 시제의 수동태

과거 시제의 수동태는 be동사의 과거형을 사용하여 「was/were+과거분사」로 씁니다.

My bicycle **was stolen** yesterday. 내 자전거는 어제 도둑맞았다.

The book **was written** in 1950. 그 책은 1950년에 쓰였다.

Your pencil **was found** under the bed. 네 연필은 침대 밑에서 발견되었다.

The rooms **were cleaned** yesterday. 그 방들은 어제 청소되었다.

Those cameras **were made** in Thailand. 저 카메라들은 태국에서 만들어졌다.

A lot of fish **were caught** in the river. 많은 물고기들이 그 강에서 잡혔다.

Grammar Walk

정답 및 해설 19~20쪽

A 다음 문장에서 「be동사+과거분사」를 찾아 동그라미 하세요.

1 Soccer ⊙is played⊙ in a lot of countries.

2 English is spoken in Canada.

3 Rice is eaten in Korea.

4 The park is closed at 9 p.m.

5 A lot of whales are killed every year.

6 A lot of stars are seen from here.

7 These books are read around the world.

8 His songs are loved by a lot of people.

9 My wallet was stolen this morning.

10 The panda was sent to the zoo.

11 His car was washed last week.

12 The novels were written by Charles Dickens.

13 These cell phones were made in Korea.

14 The windows were cleaned last week.

15 These tomatoes were grown in my yard.

「be동사+과거분사」의 수동태는 주로 동작이나 행동을 당하는 대상을 강조할 때 사용해.

동작이나 행동을 하는 주체가 별로 중요하지 않거나 모를 때도 수동태를 쓸 수 있어.

과거형과 과거분사형이 불규칙하게 변하는 동사에는 speak - spoke - spoken, eat - ate - eaten, see - saw - seen, read - read - read, steal - stole - stolen, send - sent - sent, write - wrote - written, make - made - made, grow - grew - grown 등이 있어.

 WORDS · **rice** 쌀, 밥 · **whale** 고래 · **kill** 죽이다 · **wallet** 지갑 · **grow** 재배하다

Grammar Run! ....

A 다음 문장의 괄호 안에서 알맞은 말을 골라 동그라미 하세요.

1 A lot of sugar (needs / (is needed)) in the cake.

2 My cat (feeds / is fed) twice a day.

3 The wall (paints / is painted) every year.

4 Mt. Everest (sees / is seen) from there.

5 The classrooms (clean / are cleaned) every day.

6 The plants (are water / are watered) every day.

7 His socks (find / are found) under the bed often.

8 The roads (wash / are washed) late at night.

9 My e-mail address (change / was changed).

10 The light bulb (invented / was invented) in 1879.

11 The letter (wrote / was written) last year.

12 My school (was build / was built) two years ago.

13 Twenty sheep (stole / were stolen) last night.

14 The tigers (sent / were sent) to the jungle.

15 The pictures (drew / were drawn) last week.

주어가 행동을 '당하는' 경우에
는 「be동사+과거분사」를 써.

과거형과 과거분사형이 불규칙
하게 변하는 동사에는
feed - fed - fed,
find - found - found,
build - built - built,
draw - drew - drawn 등이 있어.

B 밑줄 친 부분에 주의하여 다음 문장의 우리말 뜻을 완성하세요.

1 The gate is <u>opened</u> at 8 a.m.
➡ 그 문은 아침 8시에 ____열린다____.

「be동사+과거분사」는 주어가 동작을 수동적으로 당하는 거니까 '~을 당하다, ~되다, ~해지다' 등으로 해석하면 돼.

2 The music is <u>played</u> every morning.
➡ 그 음악은 매일 아침 _____.

3 The house is <u>cleaned</u> every Saturday.
➡ 그 집은 토요일마다 _____.

4 Shoes <u>are made</u> in that factory.
➡ 신발들은 저 공장에서 _____.

5 Two bears <u>are seen</u> on the rock.
➡ 바위 위에 곰 두 마리가 _____.

6 They <u>are loved</u> around the world.
➡ 그들은 세계적으로 _____.

7 The letter <u>was delivered</u> yesterday.
➡ 그 편지는 어제 _____.

8 The telephone <u>was invented</u> by Bell.
➡ 전화는 벨에 의해 _____.

과거형과 과거분사형이 불규칙하게 변하는 동사에는 lose - lost - lost, break - broke - broken 등이 있어.

9 My bike <u>was lost</u> in the park.
➡ 내 자전거는 공원에서 _____.

10 These coffee beans <u>were grown</u> in Colombia.
➡ 이 커피콩들은 콜롬비아에서 _____.

11 The vases <u>were broken</u> last night.
➡ 꽃병들이 어젯밤에 _____.

12 The old maps <u>were found</u> in the room.
➡ 낡은 지도들이 그 방에서 _____.

WORDS ·**gate** 문 ·**factory** 공장 ·**deliver** 배달하다 ·**coffee bean** 커피콩 ·**Colombia** 콜롬비아

Grammar Jump!

A 다음 중 알맞은 말을 찾아 문장을 완성하세요.

| is opened | were killed | was written | are trained | is visited | is spoken |
| are eaten | were sent | was closed | is played | were built | was left |

1 Hockey ___is___ ___played___ in some countries.
하키는 몇몇 나라에서 행해진다.

2 English _____ _____ in the Philippines.
필리핀에서는 영어가 말해진다.

3 The bottle _____ _____ easily.
그 병은 쉽게 열린다.

4 The museum _____ _____ by lots of people.
그 박물관은 많은 사람들에 의해 방문을 받는다.

5 Small fish _____ _____ by big fish.
작은 물고기는 큰 물고기에게 잡아먹힌다.

6 The players _____ _____ for the Olympics.
그 선수들은 올림픽 대회를 위해 훈련을 받는다.

7 "A" _____ _____ on the exam paper.
그 시험지에는 'A'가 쓰여 있었다.

8 The old restaurant _____ _____ last month.
그 오래된 식당은 지난달에 문을 닫았다.

9 A letter _____ _____ on the table.
그 탁자 위에 편지 한 통이 남겨져 있었다.

leave의 과거형과 과거분사형은 left - left야.

10 Lost cats and dogs _____ _____ there.
잃어버린 고양이와 개들이 그곳으로 보내졌다.

11 Lots of elephants _____ _____ last year.
지난해에 많은 코끼리가 죽임을 당했다.

12 The pyramids _____ _____ thousands of years ago.
그 피라미드들은 수천 년 전에 세워졌다.

WORDS · **train** 훈련하다, 훈련시키다 · **exam** 시험 · **leave** 남기다 · **lost** 잃어버린, 분실된 · **thousands of** 수천의

B 주어진 말을 사용하여 다음 문장을 완성하세요.

1 The Hangang ___is___ ___seen___ from here. (see)
여기에서 한강이 보인다.

2 The roof _____ _____ every year. (paint)
그 지붕은 매년 페인트칠된다.

3 Our classroom _____ _____ after school. (clean)
우리 교실은 방과 후에 청소된다.

4 German _____ _____ in that country. (use)
그 나라에서는 독일어가 사용된다.

5 The flowers _____ _____ in spring. (plant)
그 꽃들은 봄에 심긴다.

6 Oranges _____ _____ in California. (grow)
오렌지가 캘리포니아에서 재배된다.

7 The seeds _____ _____ by wind. (carry)
그 씨들은 바람에 의해 운반된다.

8 A lot of wild animals _____ _____ every year. (kill)
해마다 많은 야생 동물들이 죽임을 당한다.

9 My bike _____ _____ last week. (steal)
내 자전거는 지난주에 도둑맞았다.

10 A new building _____ _____ behind the school. (build)
새 건물이 학교 뒤에 지어졌다.

11 The song _____ _____ by some singers. (sing)
그 노래는 몇몇 가수들에 의해 불리었다.

12 *Don Quixote* _____ _____ in Spanish. (write)
「돈키호테」는 스페인 어로 쓰였다.

13 Two nests _____ _____ in the tree. (find)
둥지 두 개가 그 나무에서 발견되었다.

14 Those bags _____ _____ in Italy. (make)
저 가방들은 이탈리아에서 만들어졌다.

15 A lot of cookies _____ _____ for the party. (bake)
많은 쿠키들이 파티를 위해 구워졌다.

WORDS · **German** 독일어 · **seed** 씨, 씨앗 · **wild** 야생의 · **Spanish** 스페인 어 · **nest** 둥지

Grammar Fly! ·

A 주어진 말을 사용하여 다음 수동태 문장을 완성하세요.

1 _____Rice is eaten_____ in Asia. (rice, eat)
아시아에서는 쌀을 먹는다.

2 _____ every day. (the floor, mop)
그 바닥은 매일 대걸레질된다.

3 _____ on weekends. (the garage, clean)
그 차고는 주말마다 청소된다.

4 _____ for Thanksgiving dinner. (a turkey, cook)
추수 감사절 만찬을 위해 칠면조가 요리된다.

5 _____ once a month. (the fences, fix)
그 울타리들은 한 달에 한 번 수리된다.

6 _____ in the factory. (a lot of cars, make)
많은 자동차들이 그 공장에서 만들어진다.

7 _____ in this store. (the shoes, sell)
그 신발들은 이 가게에서 팔린다.

8 _____ in Canada. (two languages, use)
캐나다에서는 두 개의 언어가 사용된다.

9 _____ near the lake. (the house, build)
그 집은 호수 근처에 지어졌다.

10 _____ to the hospital. (she, take)
그녀는 병원으로 실려 갔다.

11 _____ beautifully. (the song, play)
그 노래는 아름답게 연주되었다.

12 _____ then. (the boxes, open)
그 상자들은 그때 열려 있었다.

13 _____ to the party. (we, invite)
우리는 그 파티에 초대되었다.

14 _____ to Jessica. (a few letters, send)
편지 몇 통이 제시카에게 보내졌다.

15 _____ in Gangwon-do. (those potatoes, grow)
저 감자들은 강원도에서 재배되었다.

WORDS   · **mop** 대걸레질하다   · **garage** 차고   · **turkey** 칠면조   · **language** 언어   · **take** 데리고 가다, 데려다 주다

B 주어진 말을 바르게 배열하여 문장을 쓰세요.

1 (is fed / the snake / once a week / .) 그 뱀은 일주일에 한 번 먹이를 먹는다.
➡ The snake is fed once a week.

2 (is washed / every month / the car / .) 그 자동차는 매달 세차된다.
➡ _____

3 (is spoken / English / in a lot of countries / .) 영어는 많은 나라들에서 쓰인다.
➡ _____

4 (are watered / the flowers / twice a week / .) 그 꽃들은 일주일에 두 번 물을 받는다.
➡ _____

5 (are made / a lot of ships / in Korea / .) 많은 배들이 한국에서 만들어진다.
➡ _____

6 (are sold / fresh vegetables / at the store / .) 신선한 채소들이 그 가게에서 팔린다.
➡ _____

7 (was taken / my puppy / to the vet / .) 우리 강아지는 수의사에게 데려가졌다.
➡ _____

8 (was fixed / the door / yesterday / .) 그 문은 어제 수리되었다.
➡ _____

9 (was given / the prize / to Bob / .) 그 상은 밥에게 주어졌다.
➡ _____

10 (were carried / the boxes / inside / .) 그 상자들은 안으로 옮겨졌다.
➡ _____

11 (were caught / the two monkeys / last night / .) 그 원숭이 두 마리는 어젯밤에 잡혔다.
➡ _____

12 (were planted / lots of trees / yesterday / .) 많은 나무들이 어제 심겼다.
➡ _____

WORDS · **ship** 배 · **vet** 수의사 · **prize** 상 · **inside** 안에, 안으로

Grammar & Writing

A 　정보 활용하기　수미가 나라별로 사용되는 언어에 대해 조사했습니다. 사진을 보고, 주어진 말을 사용하여 다음 문장을 완성하세요.

1

(English)

English _____ is _____ spoken _____ in the U.S.

2

(Chinese)

_____ _____ _____ in China.

3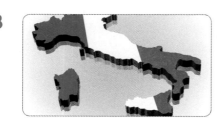

(Italian)

_____ _____ _____ in Italy.

4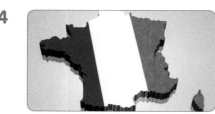

(French)

_____ _____ _____ in France.

5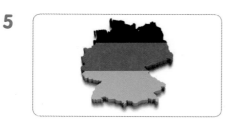

(German)

_____ _____ _____ in Germany.

6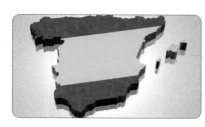

(Spanish)

_____ _____ _____ in Spain.

 WORDS　· **Italian** 이탈리아 어　· **Germany** 독일　· **Spanish** 스페인 어　· **Spain** 스페인

B 표 해석하기 다음은 유명한 예술 작품과 발명품이 만들어진 연도를 정리한 표입니다. 표를 보고, 다음 문장을 완성하세요.

what	when	what	when
Hamlet	between 1599 and 1601	*Les Misérables*	in 1862
Mona Lisa	between 1503 and 1506	*Sunflowers*	in 1889
the telephone	in 1875	the light bulb	in 1879

1 (write)
Hamlet _____was written between 1599 and 1601_____ .

2 (write)
Les Misérables _____ .

3 (paint)
The *Mona Lisa* _____ .

4 (paint)
Sunflowers _____ .

5 (invent)
The telephone _____ .

6 (invent)
The light bulb _____ .

WORDS · ***Hamlet*** 「햄릿」(희곡) · **between A and B** (시간) A에서 B 사이에 · ***Les Misérables*** 「레 미제라블」(소설)

UNIT TEST 05

[1-2] 다음 중 동사의 과거분사형이 <u>잘못</u> 짝지어진 것을 고르세요.

1 ❶ eat – ate   ❷ make – made   ❸ steal – stolen

    ❹ write – written   ❺ do – done

2 ❶ send – sent   ❷ catch – caught   ❸ find – found

    ❹ build – built   ❺ take – took

[3-4] 다음 영어의 우리말 뜻이 <u>잘못된</u> 것을 고르세요.

3 ❶ be cleaned – 청소되다   ❷ be invented – 발명되다   ❸ be invited – 초대되다

    ❹ be washed – 씻다   ❺ be used – 사용되다

4 ❶ be closed – 닫히다   ❷ be opened – 열리다   ❸ be loved – 사랑하다

    ❹ be played – 연주되다   ❺ be changed – 바뀌다

[5-6] 다음 문장의 빈칸에 알맞은 말을 고르세요.

5

> These pictures _____ taken last year. 이 사진들은 작년에 찍혔다.

❶ have   ❷ should   ❸ were   ❹ did   ❺ could

6

The window was _____. 그 유리창이 깨졌다.

❶ break   ❷ breaks   ❸ broke   ❹ breaking   ❺ broken

[7-8] 다음 문장의 빈칸에 공통으로 알맞은 말을 고르세요.

7

- Rice _____ eaten in Asia. 아시아에서는 쌀을 먹는다.
- The park _____ closed at 9 p.m. 그 공원은 밤 9시에 닫힌다.

❶ are   ❷ is   ❸ has   ❹ have   ❺ does

8

- Soccer is _____ in lots of countries. 축구는 많은 나라들에서 행해진다.
- The song was _____ beautifully. 그 노래는 아름답게 연주되었다.

❶ play   ❷ plays   ❸ played   ❹ playing   ❺ to play

[9-10] 다음 주어진 말이 들어갈 위치로 알맞은 것을 고르세요.

9   were

The cell ❶ phones ❷ made ❸ in ❹ Korea ❺ .
그 휴대 전화들은 한국에서 만들어졌다.

10   grown

These ❶ tomatoes ❷ were ❸ in ❹ my ❺ yard.
이 토마토들은 내 마당에서 재배되었다.

[11-12] 다음 밑줄 친 우리말을 영어로 바르게 옮긴 것을 고르세요.

11

The Hangang <u>여기에서 보인다</u>.

❶ sees from here

❷ saw from here

❸ is seen from here

❹ has seen from here

❺ is seeing from here

12

An old map <u>발견되었다</u>.

❶ found

❷ was found

❸ has found

❹ was founding

❺ finds

[13-14] 다음 우리말 뜻과 같도록 괄호 안에서 알맞은 말을 고르세요.

13

그 책들은 세계적으로 사랑받는다.

➡ The books (loves / are loved) around the world.

14

작년에 많은 코끼리들이 죽임을 당했다.

➡ Lots of elephants (killed / were killed) last year.

[15-16] 다음 문장의 빈칸에 들어갈 수 없는 말을 고르세요.

15

A box _____.

❶ was delivered   ❷ was opened   ❸ was made

❹ carried   ❺ was closed

16

The bikes _____ yesterday.

❶ stolen   ❷ were sent   ❸ were fixed

❹ were cleaned   ❺ were painted

[17-18] 다음 중 밑줄 친 부분이 잘못된 문장을 고르세요.

17 ❶ The roof is painted every year.

❷ The seeds carry in spring.

❸ The book was written in English.

❹ The fence was fixed once a month.

❺ She was taken to the hospital.

18 ❶ The trees were planted last year.

❷ The bear was caught yesterday.

❸ The garage cleans every week.

❹ Fresh vegetables are sold at the store.

❺ The prize was given to Bob.

UNIT TEST 05

정답 및 해설 21~22쪽

[19-20] 다음 우리말 뜻과 같도록 주어진 말을 사용하여 문장을 완성하세요.

19 백열전구는 1879년에 발명되었다. (invent)

➡ The light bulb ＿＿＿＿＿＿＿ ＿＿＿＿＿＿＿ in 1879.

20 싱가포르에서는 영어가 쓰인다. (speak)

➡ English ＿＿＿＿＿＿＿ ＿＿＿＿＿＿＿ in Singapore.

[21-25] 주어진 말을 바르게 배열하여 문장을 쓰세요.

21 (is / the bottle / opened / easily / .)

➡ ＿＿＿＿＿＿＿＿＿＿＿＿＿＿＿＿＿＿＿＿＿＿

그 병은 쉽게 열린다.

22 (are / lots of cars / made / in that factory / .)

➡ ＿＿＿＿＿＿＿＿＿＿＿＿＿＿＿＿＿＿＿＿＿＿

많은 자동차들이 저 공장에서 만들어진다.

23 (was / the panda / sent / to the zoo / .)

➡ ＿＿＿＿＿＿＿＿＿＿＿＿＿＿＿＿＿＿＿＿＿＿

그 판다는 동물원으로 보내졌다.

24 (was / my wallet / stolen / yesterday / .)

➡ ＿＿＿＿＿＿＿＿＿＿＿＿＿＿＿＿＿＿＿＿＿＿

내 지갑은 어제 도둑맞았다.

25 (were / the pyramids / built / thousands of years ago / .)

➡ ＿＿＿＿＿＿＿＿＿＿＿＿＿＿＿＿＿＿＿＿＿＿

그 피라미드들은 수천 년 전에 지어졌다.

WRAP UP

1 능동태와 수동태

❶ 능동태: 주어가 ¹[   ]으로 행동하여 '(주어가) ~하다'라는 의미를 가진 문장이다.

Lisa cleans the room. ➡ 주어인 'Lisa'가 직접 능동적으로 '²[   ]' 것.

❷ 수동태: 주어가 ³[   ]으로 동작을 당하여 '(주어가) ~당하다'라는 의미를 가진 문장이다.

The room is cleaned by Lisa. ➡ 주어인 'The room'이 수동적으로 '⁴[   ]' 것.

2 수동태의 형태

「be동사+¹[   ]」의 형태로 '(주어가) ~당하다, ~되다'의 뜻이다.

이때 ²[   ]는 주어와 시제에 따라 달라진다.

Check Up 그림을 보고, 알맞은 말을 찾아 다음 대화의 빈칸에 쓰세요.

opened	were	delivered	carried

A huge box was _____ yesterday.

The box was _____ into the kitchen.

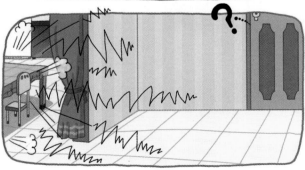

The box was _____.
Some bottles _____ broken.

편지를 한 통 받았다.
누가 보낸 거지? 알아봐야겠어.

This letter wasn't written by Minji.

민지가 아니다. 글씨 모양이 다르다.

부정할 때는 언제나 그렇듯
수동태 문장에서도 be동사 뒤에 not을
붙여서 부정한다.

This letter wasn't put there by Sikyung.

가져다 놓은 사람이 있을 텐데,
시경인가?

지각할 뻔했다는 시경이도 아니다.
마찬가지로 not을 써서 부정한다.

궁금할 때는 수동태 문장도 be동사를
앞으로 보내서 쓴다.

편지에 내 이름이
쓰여 있냐고?

그거야 뭐 당연히…!!!
뭐야, 시경이 이름이잖아?

이 편지를 내 책상에서 찾은 거냐고
묻고 싶은 거지? 맞아,
분명 그건 내 책상 위에 있었단
말이야. 아, 창피해.

01 수동태의 부정문과 의문문

수동태의 부정문은 not을 사용하여 만들고, 의문문은 be동사와 주어의 위치를 바꿔 만듭니다.

A 수동태의 부정문

수동태의 부정문은 be동사 뒤에 not을 써서 「be동사+not+과거분사」로 나타냅니다.
현재 시제일 때는 「am not/isn't/aren't+과거분사」로 쓰고, 과거 시제일 때는
「wasn't/weren't+과거분사」로 씁니다.

The bottle **isn't(=is not) opened** easily. 그 병은 쉽게 열리지 않는다.

Blue shoes **aren't(=are not) sold** well. 파란 구두는 잘 팔리지 않는다.

Your name **wasn't(=was not) called**. 네 이름은 불리지 않았다.

We **weren't(=were not) invited**. 우리는 초대받지 못했다.

B 수동태의 의문문

수동태의 의문문은 be동사와 주어의 위치를 바꿔 「be동사+주어+과거분사 ~?」로 씁니다.
현재 시제일 때는 「Am/Is/Are+주어+과거분사 ~?」로 쓰고, 과거 시제일 때는
「Was/Were+주어+과거분사 ~?」로 씁니다.

Is the river **seen?**
그 강이 보이니?

Yes, it is. / No, it isn't.
응, 그래.　아니, 그러지 않아.

Are they **loved?**
그들은 사랑받고 있니?

Yes, they are. / No, they aren't.
응, 그래.　아니, 그러지 않아.

Was the door **fixed?**
그 문은 고쳐졌니?

Yes, it was. / No, it wasn't.
응, 그랬어.　아니, 그러지 않았어.

Were they **caught?**
그들은 잡혔니?

Yes, they were. / No, they weren't.
응, 그랬어.　아니, 그러지 않았어.

Grammar Walk

정답 및 해설 23쪽

A 다음 문장을 부정문으로 바꿔 쓸 때, not이 들어갈 위치로 알맞은 곳에 동그라미 하세요.

1 French ❶ is ②taught ❸ at school ❹.

2 Baseball ❶ is ❷ played ❸ in winter ❹.

3 Coffee beans ❶ are ❷ grown ❸ in Korea ❹.

4 The car ❶ was ❷ washed ❸ last week ❹.

5 That picture ❶ was ❷ taken ❸ in China ❹.

6 The computers ❶ were ❷ made ❸ in the factory ❹.

수동태인 「be동사+과거분사」에서 be동사와 과거분사 사이에 not을 쓰면 부정문으로 만들 수 있어.

B 다음 문장에서 주어를 찾아 동그라미 하고, be동사와 과거분사를 찾아 밑줄을 치세요.

1 <u>Is</u> (sugar) <u>sold</u> at the store?

2 Is German spoken in that country?

3 Are many fish caught in the lake?

4 Are apples picked in autumn?

5 Was the book written in English?

6 Was your bike found yesterday?

7 Were they invited to her party?

수동태 의문문은 평서문에서 be동사와 주어의 위치를 바꿔 「be동사+주어+과거분사 ~?」로 써.

WORDS · **French** 프랑스 어   · **coffee bean** 커피콩   · **factory** 공장   · **German** 독일어

02 능동태와 수동태 바꿔 쓰기

목적어가 있는 능동태 문장은 목적어를 주어로 하여 수동태 문장으로 바꿔 쓸 수 있습니다.

A 수동태 문장으로 바꾸기

She cleans the room. 그녀가 그 방을 청소한다. 〈능동태〉

① ② ③

The room **is cleaned by** her. 그 방은 그녀에 의해 청소된다. 〈수동태〉

① 능동태의 목적어 ➡ 수동태의 주어 (the room → The room)
　능동태의 목적어가 대명사의 목적격인 경우에는 주격으로 바꿔 씁니다.
② 능동태의 동사 ➡ be동사+과거분사 (cleans → is cleaned)
　현재 시제이면 be동사의 현재형을 쓰고, 과거 시제이면 be동사의 과거형을 씁니다.
③ 능동태의 주어 ➡ by+목적격 (She → by her)

They **love** his songs. ➡ His songs **are loved by** them.
그들은 그의 노래들을 사랑한다.　그의 노래들은 그들에게 사랑받는다.

He **painted** the roof. ➡ The roof **was painted by** him.
그는 그 지붕을 페인트칠했다.　그 지붕은 그에 의해 페인트칠되었다.

We **washed** the cars. ➡ The cars **were washed by** us.
우리는 그 자동차들을 세차했다.　그 자동차들은 우리에 의해 세차되었다.

◉ 수동태에서 누구 또는 무엇에 의해 그 행동이 일어났는지 말할 때는 「by+목적격」으로 나타냅니다.
　그러나 주체가 we, they, people처럼 일반 사람일 때, 주체가 분명하지 않거나
　중요하지 않을 때는 생략할 수 있습니다.

English **is spoken** in Canada (**by them**). 영어는 (그들에 의해) 캐나다에서 말해진다.

That singer **is loved** around the world (**by people**). 저 가수는 (사람들에 의해) 세계적으로 사랑받는다.

Grammar Walk

A 다음 능동태의 문장에서 주어를 찾아 동그라미 하고, 목적어를 찾아 밑줄을 치세요.
그런 다음, 수동태 문장의 빈칸에 알맞은 말을 쓰세요.

1 (능동태) ⓘ draw <u>a picture</u>.
   (수동태) ___A picture___ is drawn by me.

2 (능동태) Mr. Smith teaches them.
   (수동태) _____ are taught by Mr. Smith.

3 (능동태) My parents love me.
   (수동태) _____ am loved by my parents.

4 (능동태) She washes the dishes.
   (수동태) The dishes are washed by _____.

5 (능동태) We sell fresh vegetables.
   (수동태) Fresh vegetables are sold by _____.

6 (능동태) They build bridges.
   (수동태) Bridges are built by _____.

7 (능동태) David saw her.
   (수동태) _____ was seen by David.

8 (능동태) They painted the wall.
   (수동태) _____ _____ was painted by them.

9 (능동태) I made the kite.
   (수동태) _____ _____ was made by me.

10 (능동태) Dickens wrote the books.
   (수동태) The books were written by _____.

11 (능동태) You sang a few songs.
   (수동태) A few songs were sung by _____.

12 (능동태) He caught a few fish.
   (수동태) A few fish were caught by _____.

동사의 형태를 보면 능동태인지 수동태인지 알 수 있지. 「be동사+과거분사」이면 수동태야.

능동태의 목적어가 수동태의 주어 자리로 가면 주격으로, 능동태의 주어가 수동태의 목적어 자리로 가면 목적격으로 형태를 바꿔 써.

Grammar Run! ....

A 다음 문장의 괄호 안에서 알맞은 말을 골라 동그라미 하세요.

1 The floor ((isn't) / doesn't) mopped by Laura.

2 The door isn't (lock / locked) in the morning.

3 The tower isn't (saw / seen) from here.

4 The plants (aren't / don't) sold at the flower shop.

5 The chair (wasn't / didn't) made by my dad.

6 The plate wasn't (broke / broken) by me.

7 Those tables weren't (moved / move) by them.

8 The thieves weren't (catch / caught) by the police.

9 (Is / Do) the room cleaned every day?

10 (Are / Does) the songs played often?

11 (Was / Did) the key found on the sofa?

12 Was the tree (plant / planted) in the yard?

13 Was the painting (drawn / drawed) by Gogh?

14 Were many people (kill / killed) in the war?

15 Were those cameras (make / made) in Thailand?

수동태의 부정문과 의문문은
be동사를 사용해 만들어.

수동태라면 be동사 뒤에 과
거분사가, 과거분사 앞에 be
동사가 있어야 하는 법!

WORDS · **lock** 잠그다   · **plate** 접시   · **thief** 도둑, 절도범   · **police** 경찰   · **war** 전쟁

B 짝지어진 두 문장의 의미가 같도록 괄호 안에서 알맞은 말을 골라 동그라미 하세요.

1 We (⟨love⟩ / are loved) our puppy.
= Our puppy (loves / ⟨is loved⟩) by us.

2 Elsa (draws / is drawn) a picture every day.
= A picture (draws / is drawn) by Elsa every day.

3 Dad (cooks / is cooked) dinner.
= Dinner (cooks / is cooked) by Dad.

4 They (lock / are locked) the gates at six.
= The gates (lock / are locked) by them at six.

5 He (takes / is taken) lots of pictures.
= Lots of pictures (take / are taken) by him.

6 Insects (carry / are carried) the seeds.
= The seeds (carry / are carried) by insects.

7 They (built / were built) the house.
= The house (built / was built) by them.

8 We (planted / were planted) the tree.
= The tree (planted / was planted) by us.

9 She (broke / was broken) the bike.
= The bike (broke / was broken) by her.

10 Spielberg (made / was made) the films.
= The films (made / were made) by Spielberg.

11 They (fixed / were fixed) the cars.
= The cars (fixed / were fixed) by them.

12 You (grew / were grown) the beans.
= The beans (grew / were grown) by you.

주어가 '하는' 것인지 '당하는' 것인지 생각해 봐.

주어가 '당하는' 것이면 수동태인 「be동사+과거분사」로 써야 해.

Grammar Jump!

A 다음 문장을 괄호 안의 지시대로 바꿔 쓸 때 빈칸에 알맞은 말을 쓰세요.

1 English is taught at school. (부정문)

⇨ English ___is___ ___not___ ___taught___ at school.

수동태 문장에서 부정문을 만들 때는 be동사 뒤에 not을 붙여.

2 The window is opened easily. (부정문)

⇨ The window _____ _____ _____ easily.

3 Big fish are caught here. (부정문)

⇨ Big fish _____ _____ _____ here.

4 The map was hidden in the box. (부정문)

⇨ The map _____ _____ _____ in the box.

5 She was found in the park. (부정문)

⇨ She _____ _____ _____ in the park.

6 The stars were seen then. (부정문)

⇨ The stars _____ _____ _____ then.

7 Tennis is played in lots of countries. (의문문)

⇨ _____ tennis _____ in lots of countries?

의문문을 만들 때는 be동사를 주어 앞으로 보내.

8 The book is loved by children. (의문문)

⇨ _____ the book _____ by children?

9 The classrooms are cleaned after school. (의문문)

⇨ _____ the classrooms _____ after school?

10 The postcard was sent to Betty. (의문문)

⇨ _____ the postcard _____ to Betty?

11 He was taken to the hospital. (의문문)

⇨ _____ he _____ to the hospital?

12 Those pears were grown in Naju. (의문문)

⇨ _____ those pears _____ in Naju?

WORDS · **catch** 잡다, 받다 · **hide** 감추다, 숨기다 · **postcard** 우편엽서 · **take** 데리고 가다 · **pear** 배

B 다음 문장을 수동태로 바꿔 쓸 때 빈칸에 알맞은 말을 쓰세요.

1 Mr. Son teaches science this year.

➡ Science ___is___ ___taught___ by Mr. Son this year.

2 We set the table.

➡ The table _____ _____ by us.

3 My brother waters the plant.

➡ The plant _____ _____ by my brother.

4 Children like penguins.

➡ Penguins _____ _____ by children.

5 He cleans the rooms.

➡ The rooms _____ _____ by him.

6 I feed the cats.

➡ The cats _____ _____ by me.

7 She kicked the soccer ball.

➡ The soccer ball _____ _____ by her.

8 Edison invented the light bulb.

➡ The light bulb _____ _____ by Edison.

9 The police caught the thief.

➡ The thief _____ _____ by the police.

10 They helped sick people.

➡ Sick people _____ _____ by them.

11 The man stole three chickens.

➡ Three chickens _____ _____ by the man.

12 Shakespeare wrote the plays.

➡ The plays _____ _____ by Shakespeare.

> 능동태를 수동태로 바꾸면 동사가 「be동사+과거분사」의 형태로 바뀌어.

> 과거형과 과거분사형이 불규칙하게 바뀌는 동사에는 set - set - set, feed - fed - fed, catch - caught - caught, steal - stole - stolen, write - wrote - written 등이 있어.

WORDS ⋅ **set** (상에 수저 등을) 차리다 ⋅ **kick** (발로) 차다 ⋅ **steal** 훔치다 ⋅ **play** 희곡, 연극

Grammar Fly! . . . .

A 주어진 말을 사용하여 수동태의 부정문 또는 의문문을 완성하세요.

1   The newspaper ____isn't____ ____delivered____ in the morning. (deliver)
그 신문은 아침에 배달되지 않는다.

2   The sky _____ _____ from here. (see)
여기에서는 하늘이 보이지 않는다.

3   You _____ _____ by them. (help)
너는 그들에게 도움을 받지 않는다.

4   I _____ _____ to the concert. (invite)
나는 그 콘서트에 초대받지 않았다.

5   The picture _____ _____ by him. (draw)
그 그림은 그에 의해 그려지지 않았다.

6   Those onions _____ _____ there. (grow)
저 양파들은 그곳에서 재배되지 않았다.

7   The computers _____ _____ at the store. (sell)
그 컴퓨터들은 그 가게에서 판매되지 않았다.

8   _____ _____ _____ _____ in English? (the book, write)
그 책은 영어로 쓰여 있니?

9   _____ _____ _____ in Singapore? (Chinese, speak)
싱가포르에서는 중국어가 쓰이니?

10   _____ _____ _____ by children? (the books, read)
그 책들은 아이들에게 읽히니?

11   _____ _____ _____ ? (Jack's backpack, steal)
잭의 배낭은 도둑맞았니?

12   _____ _____ _____ on the bus? (the bag, leave)
그 가방은 버스에 남겨져 있었니?

13   _____ _____ _____ in the forest? (wild pigs, find)
숲에서 멧돼지들이 발견되었니?

14   _____ _____ _____ yesterday? (the thieves, catch)
그 도둑들은 어제 잡혔니?

WORDS   · **deliver** 배달하다   · **onion** 양파   · **grow** 기르다, 재배하다   · **leave** ~을 두고 오다[가다]   · **wild pig** 멧돼지

B 다음 문장을 수동태로 바꿔 쓰세요.

1 She cooks dinner.
➡ _____ Dinner is cooked by her. _____

2 Children love the song.
➡ _____

3 He sweeps the yard.
➡ _____

4 Ms. Gates teaches us.
➡ _____

5 I make model airplanes.
➡ _____

6 They sell fresh vegetables.
➡ _____

7 He delivered the letter.
➡ _____

8 My sister caught the butterfly.
➡ _____

9 Bill carried the box.
➡ _____

10 Jenny ate the apples.
➡ _____

11 We threw the snowballs.
➡ _____

12 Mr. Harrington found them.
➡ _____

능동태 문장에서 목적어로 쓰인 대명사가 수동태의 주어가 되면 주격으로 바꿔 써야 해.

WORDS   · **sweep** 쓸다, 청소하다   · **carry** 나르다   · **throw** 던지다   · **snowball** 눈 뭉치, 눈덩이   · **find** 찾다, 발견하다

Grammar & Writing

A [정보 활용하기] 톰과 친구들은 어제 모두 다른 하루를 보냈습니다. 그림을 보고, 다음 문장을 완성하세요.

1

(paint)
The wall ___wasn't___ ___painted___ by Jim.
The wall ___was___ ___painted___ by Tom.

2

(hit)
The ball _____ _____ by Ben.
The ball _____ _____ by David.

3

(sing)
The song _____ _____ by Mary.
The song _____ _____ by Amy.

4

(take)
The pictures _____ _____ by Cathy.
The pictures _____ _____ by Betty.

5

(break)
The bottles _____ _____ by Ken.
The bottles _____ _____ by Ben.

6

(clean)
The room _____ _____ by Betty.
The room _____ _____ by Cathy.

WORDS · **hit** (야구 등에서 공을) 치다 · **break** 깨다, 부수다

B 표 해석하기 케이트가 마을의 역사를 조사하여 표를 만들었습니다. 표를 보고, 다음 대화를 완성하세요.

the bridge	the store	the tree
built in 1950	opened in 1920	planted in 1895
the statue	**the picture**	**the carpet**
found in 2005	drawn in 1800	made in 1700

1 Q: _____Was the bridge built_____ in 1950? (the bridge)
  A: Yes, it was.

2 Q: _____ in 1930? (the store)
  A: No, it wasn't. It was opened in 1920.

3 Q: _____ in 1885? (the tree)
  A: No, it wasn't. It was planted in 1895.

4 Q: _____ in 2005? (the statue)
  A: Yes, it was.

5 Q: _____ in 1800? (the picture)
  A: Yes, it was.

6 Q: _____ in 1750? (the carpet)
  A: No, it wasn't. It was made in 1700.

WORDS · **statue** 조각상 · **carpet** 카펫, 양탄자

UNIT TEST 06

[1-2] 다음 중 동사의 과거형과 과거분사형이 <u>잘못</u> 짝지어진 것을 고르세요.

1 ❶ play – played – played ❷ grow – grew – grown

❸ sell – sold – sold ❹ speak – spoke – spoke

❺ teach – taught – taught

2 ❶ love – loved – loved ❷ sing – sang – sung

❸ draw – drew – drawn ❹ mop – mopped – mopped

❺ hit – hitted – hitted

[3-4] 다음 문장의 빈칸에 알맞은 말을 고르세요.

3 We _____ invited to the party. 우리는 그 파티에 초대받지 않았다.

❶ were ❷ weren't ❸ did ❹ didn't ❺ wasn't

4 _____ the tower seen then? 그때 그 탑이 보였니?

❶ Is ❷ Was ❸ Does ❹ Did ❺ Are

[5-6] 다음 주어진 말이 들어갈 위치로 알맞은 것을 고르세요.

5 not   The ❶ plants ❷ are ❸ sold ❹ at the flower shop ❺.
그 식물들은 그 꽃 가게에서 팔리지 않는다.

6 the key   Was ❶ found ❷ on ❸ the ❹ sofa ❺?
그 열쇠가 소파 위에서 발견되었니?

[7 – 8] 다음 중 잘못된 문장을 고르세요.

7 ❶ Dinner is not cooked by Dad.

❷ Baseball is not played in winter.

❸ The room is not cleaned by me.

❹ German is not spoken in Korea.

❺ His shoes is not washed by him.

8 ❶ Were the books written by Dickens?

❷ Were the Christmas card sent by her?

❸ Were the songs played often?

❹ Was the bag left on the bus?

❺ Were the pears grown in Naju?

[9 – 10] 다음 문장을 수동태로 바꿔 쓸 때, 괄호 안에서 알맞은 말을 고르세요.

9 We helped the poor children.

➡ The poor children (are helped / were helped) by us.

10 Gogh painted them.

➡ (Them / They) were painted by Gogh.

[11 - 12] 다음 문장에서 <u>잘못된</u> 부분을 고르세요.

11 <u>The seeds</u> <u>do</u> <u>carried</u> <u>by</u> <u>insects.</u>
   ❶   ❷   ❸   ❹   ❺

12 <u>The house</u> <u>was</u> <u>built</u> <u>by</u> <u>they.</u>
   ❶   ❷   ❸   ❹   ❺

[13 - 14] 다음 문장을 수동태로 바르게 바꿔 쓴 것을 고르세요.

13

> He teaches English.

❶ English is taught by he.　　　❷ English is taught to him.

❸ English is taught by him.　　　❹ English does taught by him.

❺ He is taught to English.

14

> Susie found them.

❶ Susie was found by them.　　　❷ Them were found by Susie.

❸ They were found to Susie.　　　❹ Susie was found to them.

❺ They were found by Susie.

[15 - 16] 다음 문장을 괄호 안의 지시대로 바꿔 쓸 때 빈칸에 알맞은 말을 고르세요.

15

> The plate was broken by me. (부정문)
> ➡ The plate _____ by me.

❶ wasn't broken　　　❷ wasn't broke　　　❸ didn't break

❹ didn't broken　　　❺ not was broken

16

Those cameras are made in Thailand. (의문문)

➡ _____ in Thailand?

❶ Do those cameras made

❷ Do those cameras make

❸ Are made those cameras

❹ Are those cameras made

❺ Have those cameras made

[17 – 18] 다음 우리말을 영어로 바르게 옮긴 것을 고르세요.

17

그 책은 부모님들에 의해 사랑받았다.

❶ The book loved parents.

❷ The book loved by parents.

❸ The book was loved parents.

❹ The book was loved by parents.

❺ The book was loved on parents.

18

그들의 자동차는 그에 의해 도둑맞았다.

❶ Their car stole him.

❷ Their car stolen by him.

❸ Their car was stole by him.

❹ Their car was stolen by he.

❺ Their car was stolen by him.

[19-20] 다음 문장을 수동태로 바꿔 쓸 때 빈칸에 알맞은 말을 쓰세요.

19 He sets the table.

➡ The table _____ _____ _____ _____.

20 The police caught the thieves.

➡ The thieves _____ _____ _____ _____ _____.

[21-25] 다음 우리말 뜻과 같도록 주어진 말을 사용하여 문장을 완성하세요.

21 한국에서는 커피콩이 재배되지 않는다. (grow)

➡ The coffee beans _____ _____ in Korea.

22 전쟁에서 많은 사람들이 죽임을 당했니? (kill)

➡ _____ many people _____ in the war?

23 그 교실들은 방과 후에 청소된다. (clean)

➡ The classrooms _____ _____ after school.

24 그 책상은 그녀에 의해 옮겨졌다. (move)

➡ The desk _____ _____ by _____.

25 그 편지들은 그 남자에 의해 배달되었다. (deliver)

➡ The letters _____ _____ _____ the man.

1 수동태의 부정문과 의문문

	부정문	의문문
현재	am/are/is+¹[ ]+과거분사	Am/Are/Is+주어+²[ ]~?
과거	³[ ]/⁴[ ]+not+과거분사	Was/Were+주어+⁵[ ]~?

2 능동태 문장을 수동태 문장으로 바꾸기

❶ 능동태의 목적어 ➡ 수동태의 ¹[   ]

능동태의 목적어가 대명사의 목적격인 경우 주격으로 바꿔 쓴다.

❷ 능동태의 동사 ➡ ²[   ]+³[   ]

현재 시제이면 be동사의 현재형을 쓰고, 과거 시제이면 be동사의 과거형을 쓴다.

❸ 능동태의 주어 ➡ ⁴[   ]+목적격

Check Up 그림을 보고, 알맞은 말을 찾아 다음 대화의 빈칸에 쓰세요.

was mopped   was cleaned   was painted

A chair _____ _____ by Dad.

The floor _____ _____ by Mom.

The room _____ _____ by Sunny.

Blackie!

REVIEW TEST 03

[1-2] 다음 중 동사의 과거형과 과거분사형이 <u>잘못</u> 짝지어진 것을 고르세요.

1
❶ use - used - used
❷ carry - carried - carried
❸ mop - moped - moped
❹ invent - invented - invented
❺ invite - invited - invited

2
❶ feed - fed - fed
❷ break - broke - broke
❸ steal - stole - stolen
❹ forget - forgot - forgotten
❺ make - made - made

[3-4] 다음 문장의 빈칸에 알맞은 말을 고르세요.

3
> His bicycle _____ yesterday. 그의 자전거는 어제 도둑맞았다.

❶ stole　　　　❷ has stolen　　　　❸ is stolen
❹ was stealing　　❺ was stolen

4
> Sugar _____ needed in the cookie. 그 과자에는 설탕이 필요하지 않다.

❶ isn't　　　　❷ doesn't　　　　❸ hasn't
❹ aren't　　　　❺ don't

[5-6] 다음 문장의 빈칸에 알맞은 말이 순서대로 바르게 짝지어진 것을 고르세요.

5

> • Rice is _____ in Korea.
> • His song is loved _____ a lot of people.

❶ eat - by   ❷ eating - with   ❸ eaten - by

❹ eating - by   ❺ ate - by

6

> • The panda was _____ to the zoo.
> • _____ the book written in English?

❶ sending - Was   ❷ sent - Was   ❸ sent - Did

❹ to send - Did   ❺ send - Was

[7-8] 다음 우리말을 영어로 바르게 옮긴 것을 고르세요.

7

> 그 벽은 우리에 의해 페인트칠되었다.

❶ The wall painted us.   ❷ The wall painted by us.

❸ The wall was painted us.   ❹ The wall was painting by us.

❺ The wall was painted by us.

8

> 그 연은 그에 의해 만들어지지 않았다.

❶ The kite didn't make him.   ❷ The kite didn't made by him.

❸ The kite didn't be made by him.   ❹ The kite wasn't made by him.

❺ The kite not was be made by him.

[9–10] 다음 문장의 밑줄 친 부분을 바르게 고친 것을 고르세요.

9

> The tree <u>has</u> planted in the yard.

❶ are   ❷ do   ❸ was

❹ does   ❺ did

10

> Was the window <u>break</u> by Tom?

❶ to break   ❷ breaking   ❸ to broken

❹ broke   ❺ broken

[11–12] 다음 중 밑줄 친 부분이 <u>잘못된</u> 문장을 고르세요.

11 ❶ A lot of whales <u>are killed</u> every year.

❷ These books <u>are read</u> around the world.

❸ The light bulb <u>invented</u> in 1879.

❹ My school <u>was built</u> two years ago.

❺ The letter <u>was delivered</u> yesterday.

12 ❶ The chair <u>wasn't made</u> by my dad.

❷ Japanese <u>doesn't spoken</u> in Canada.

❸ <u>Were</u> those cameras <u>made</u> in Thailand?

❹ The door <u>isn't locked</u> in the afternoon.

❺ <u>Is</u> tennis <u>played</u> in many countries?

[13 – 15] 다음 문장의 괄호 안에서 알맞은 말을 고르세요.

13 Oranges are (grow / grown) in California.

14 Two nests (found / were found) in the tree.

15 English (isn't / doesn't) taught at the school.

[16 – 20] 다음 문장을 수동태로 바꿔 쓰세요.

16 She washed the dishes.

➡ _____

17 Daniel caught them.

➡ _____

18 Insects carry the seeds.

➡ _____

19 My brother likes penguins.

➡ _____

20 I made the model airplane.

➡ _____

강산이가 많이 아픈지
학교에 오지 않아 집에 찾아갔다.

얘기를 들어보니,
밖에 나갈 때는 비가 오지 않았단다.

이렇게 '나갔다', '비가 오고 있지 않았다'의 두 문장을 시간을 나타내는 말을 써서 한 문장으로 묶을 때 접속사 when을 쓴다.

When I went out, it wasn't raining.

while도 '~하는 동안'이라는 뜻으로 when처럼 시간을 나타내면서 두 문장을 묶어 주는 접속사이다.

쯧쯧.
축구하는 중에 비가 와서
그냥 비를 맞으면서 축구를 했군.

While I was playing soccer, it started raining.

Before he went out,
he was fine.
After he played soccer,
he became sick.

나가기 전에는 아프지 않았는데, 돌아온 후에
아프다며 속상해하시는 강산이 엄마.
시간의 선후 관계를 보여 주는 접속사 before와
after로 말씀해 주시니 더욱 이해가 잘 된다.

어라?
나도 돌아온 이후에 왠지 몸이 좋질 않네?

'~한 후에'라는 뜻의 after를 사용해
따지고 보니 그 시간이 분명해.

큰일이다. 감기가 옮았으면 어쩌지?
에취!

After I came back, I felt sick.

접속사 (1) **141**

01 접속사 when과 while

단어와 단어, 구와 구, 절과 절, 문장과 문장을 연결해 주는 말을 접속사라고 합니다.
when과 while은 연결할 때 '시간'의 의미를 더해 주는 접속사입니다.

A 접속사 when

when은 '(누가 또는 무엇이) ~할 때'라는 뜻으로, 「when+주어+동사 ~」의 형태로 씁니다.
「when+주어+동사 ~」는 문장의 앞이나 뒤에 올 수 있는데, 문장의 앞에 나올 때는 뒤에
쉼표(,)를 써서 구분해 줍니다.

When we went out, it was raining. 우리가 외출했을 때, 비가 오고 있었다.

= It was raining **when** we went out.

When he was seven, he lived in New York. 그는 일곱 살 때, 뉴욕에 살았다.

= He lived in New York **when** he was seven.

B 접속사 while

while은 '(누가 또는 무엇이) ~하면서, ~하는 동안에'라는 뜻으로, 「while+주어+동사 ~」의
형태로 씁니다. 「while+주어+동사 ~」 역시 문장의 앞이나 뒤에 올 수 있는데,
문장의 앞에 나올 때는 뒤에 쉼표(,)를 써서 구분해 줍니다.

While I was sleeping, it snowed. 내가 자고 있는 동안, 눈이 내렸다.

= It snowed **while** I was sleeping.

While you were taking a shower, Jane called you. 네가 샤워하고 있는 동안, 제인이 네게 전화했다.

= Jane called you **while** you were taking a shower.

Grammar Walk

A 다음 문장에서 접속사를 찾아 동그라미 하세요.

1 (When) I'm tired, I go to bed early.

2 When I was shopping at the mall, I met my friend.

3 When my mother cooks dinner, I help her.

4 When the plane arrived, David called me.

5 When my dog is happy, he barks.

6 When the phone rang, I was sleeping.

7 When my family was in China, we stayed in a hotel.

8 When the rain stopped, I closed my umbrella.

9 While I was reading the book, my brother came in.

10 While he was studying, his legs shook.

11 While I was walking to school, it began to snow.

12 While Jack was watching TV, Amy made a model airplane.

13 While she was reading, a dog barked.

14 While the teacher was talking, Mary raised her hand.

15 While we were having dinner, he knocked on the door.

주어와 동사(서술어)가 있는 단어들의 모임을 '절'이라고 해. 이 '절'은 접속사에 의해 한 문장으로 연결돼.

그리고 when과 while 같은 접속사로 연결되어 문장에서 부사의 역할을 하는 절을 부사절이라고 해.

접속사 while이 쓰인 부사절에는 주로 진행 시제를 쓰는구나.

WORDS · **ring** (전화가) 울리다 · **stay** 머무르다 · **stop** 그치다, 멎다 · **close** (책·우산 등을) 덮다[접다] · **shake** 떨다

02 접속사 before와 after

before와 after는 when과 while처럼 '시간'의 의미를 더해 주는 접속사입니다.
before와 after는 어떤 일이 먼저이고 어떤 일이 나중인지 시간의 선후 관계를 알려 줍니다.

A 접속사 before

before는 '(누가 또는 무엇이) ~하기 전에'라는 뜻입니다. 「before+주어+동사 ~」는
문장의 앞이나 뒤에 올 수 있으며, 문장의 앞에 나올 때는 뒤에 쉼표(,)를 써서
구분해 줍니다.

Before <u>you</u> <u>eat</u> pizza, wash your hands. 피자를 먹기 전에, 손을 씻어라.
= Wash your hands **before** <u>you</u> <u>eat</u> pizza.
Before <u>I</u> <u>go</u> to bed, I brush my teeth. 나는 잠자리에 들기 전에, 이를 닦는다.
= I brush my teeth **before** <u>I</u> <u>go</u> to bed.

B 접속사 after

after는 '(누가 또는 무엇이) ~한 후에'라는 뜻입니다. 「after+주어+동사 ~」는
문장의 앞이나 뒤에 올 수 있으며, 문장의 앞에 나올 때는 뒤에 쉼표(,)를 써서
구분해 줍니다.

After <u>I</u> <u>took</u> a shower, I put on the new T-shirt. 나는 샤워를 한 후에, 그 새 티셔츠를 입었다.
= I put on the new T-shirt **after** <u>I</u> <u>took</u> a shower.
After <u>he</u> <u>turned</u> off the light, he left the room. 그는 불을 끈 후에, 방을 나섰다.
= He left the room **after** <u>he</u> <u>turned</u> off the light.

Before Blackie came to this house,
they loved me.

After Blackie came, they don't love me.

Grammar Walk

정답 및 해설 30쪽

A 다음 문장에서 접속사를 찾아 동그라미 하세요.

1 (Before) I go to bed, I read books.

2 Before winter comes, the ants save food.

3 Before you ask a question, raise your hand.

4 Before it's too dark, he has to go home.

5 Before you go out, turn off the light.

6 Before it's late, we should meet Mr. Hawking.

7 Before he arrives, she will fix the chair.

8 Before it snows, they should move the boxes inside.

9 After the movie ends, you may go to bed.

10 After Kevin reads this book, he will lend it to you.

11 After you finish your homework, you may help your sister.

12 After they have dinner, they play chess.

13 After she cleans the house, she often drinks coffee.

14 After Max feeds his puppy, he goes to school.

15 After I drink a glass of water, I have a meal.

before와 after는 부사절에 '~하기 전에', '~한 후에'라는 의미를 더하면서 절을 문장에 연결해 줘.

1번의 Before I go to bed(내가 잠자리에 들기 전에)는 before 라는 접속사에 의해 I read books 에 연결되어 있는 거야.

WORDS
· ant 개미　·save 저장하다　·inside 안으로　·end 끝나다　·have a meal 식사하다

접속사 (1) **145**

Grammar Run! ....

A 다음 문장의 괄호 안에서 알맞은 말을 골라 동그라미 하세요.

1 ((When) / After) the babies are hungry, they start to cry.
아기들은 배고플 때, 울기 시작한다.

2 (Before / When) he was a child, he didn't eat onions.
그는 어린아이였을 때, 양파를 먹지 않았다.

3 (When / After) she is free, she will send e-mail to you.
그녀는 한가할 때, 네게 이메일을 보낼 것이다.

4 (Before / While) they are in Paris, they will go to the Louvre.
그들은 파리에 있는 동안, 루브르 박물관에 갈 것이다.

5 (While / Before) I was washing the dishes, the phone rang.
내가 설거지를 하고 있는 동안, 전화가 울렸다.

6 (After / While) Dad is driving, he sings along with the radio.
아빠는 운전하시고 있는 동안, 라디오의 노래를 따라 부르신다.

7 (Before / When) you run a marathon, you have to warm up.
너는 마라톤을 뛰기 전에, 준비 운동을 해야 한다.

8 (Before / After) you go out, close the windows.
네가 나가기 전에, 창문들을 닫아라.

9 (While / Before) we ride bikes, we always put on our helmets.
우리는 자전거를 타기 전에, 항상 헬멧을 쓴다.

10 (Before / When) the soccer match ended, Mike left the stadium.
축구 경기가 끝나기 전에, 마이크는 경기장을 떠났다.

11 (While / Before) Clara goes to bed, she drinks warm milk.
클라라는 잠자리에 들기 전에, 따뜻한 우유를 마신다.

12 (While / After) we play soccer, we go to eat pizza.
우리는 축구를 한 후에, 피자를 먹으러 간다.

13 (After / When) she walked her dog, she washed him.
그녀는 자기 개를 산책시킨 후에, 씻겼다.

14 (Before / After) they read the book, they have to write an essay.
그들은 그 책을 읽은 후에, 에세이를 써야 한다.

> 우리말 뜻을 보면서, 그 일을 하기 '전'인지 '후'인지 따져 보면 되겠다.

 · **sing along with** ~에 맞춰 노래하다   · **warm up** 준비 운동을 하다   · **put on** ~을 입다[쓰다]   · **essay** 에세이

B 다음 중 알맞은 말을 찾아 문장을 완성하세요. 중복해서 사용할 수 있어요.

while	when	after	before

1 ___When___ I feel tired, I close my eyes.

나는 피곤하다고 느껴질 때, 눈을 감는다.

2 _____ it started to rain, we were running.

비가 내리기 시작했을 때, 우리는 뛰고 있었다.

3 _____ Jenny called us, we were crossing the street.

제니가 우리를 불렀을 때, 우리는 길을 건너고 있었다.

4 _____ I was sleeping, my dog came in my room.

내가 자고 있는 동안에, 우리 개가 내 방에 들어왔다.

5 _____ he was in Seoul, he stayed with us.

그는 서울에 있는 동안, 우리와 함께 머물렀다.

6 _____ you walk on the street, don't listen to music.

길을 걷는 동안, 음악을 듣지 마라.

「접속사+주어+동사 ~」를 한 덩어리로 묶었을 때 어떤 의미인지 우리말을 살펴보고, 우리말에 알맞은 접속사를 찾아 쓰면 돼.

7 _____ we have lunch, we should wash our hands first.

우리는 점심 식사를 하기 전에, 먼저 손을 씻는 것이 좋겠다.

8 _____ winter comes, they have to hunt.

겨울이 오기 전에, 그들은 사냥을 해야 한다.

9 _____ they enter the room, they take off their shoes.

그들은 그 방에 들어가기 전에, 신발을 벗는다.

10 _____ Sarah ran a marathon, she was very thirsty.

사라는 마라톤을 뛴 후에, 목이 무척 말랐다.

11 _____ Thomas did his homework, he watched TV.

토머스는 숙제를 한 후에, TV를 보았다.

12 _____ she fed her cat, she went to school.

그녀는 자기 고양이에게 먹이를 준 후에, 학교에 갔다.

WORDS · **call** (큰 소리로) 부르다 · **cross** (가로질러) 건너다 · **first** 먼저 · **hunt** 사냥하다 · **take off** 벗다

Grammar Jump!

A 밑줄 친 부분에 유의하여 다음 문장의 우리말 뜻을 완성하세요.

1 When you use a knife, be careful.

➡ _____(너는) 칼을 사용할 때_____, 조심해라.

2 When I met Amy, she was wearing a red cap.

➡ _____, 그녀는 빨간 모자를 쓰고 있었다.

3 When her grandfather died, she was eight years old.

➡ _____, 그녀는 여덟 살이었다.

4 While you are chewing your food, don't talk.

➡ _____, 말을 하지 마라.

5 While he was cooking, the fire alarm rang.

➡ _____, 화재경보기가 울렸다.

6 While my mother is driving, she doesn't answer the phone.

➡ _____, 전화를 받지 않으신다.

7 Before she left, she didn't say goodbye to us.

➡ _____, 우리에게 작별 인사를 하지 않았다.

8 Before we go swimming, we should leave a note for Mom.

➡ _____, 엄마에게 쪽지를 남기는 것이 좋겠다.

9 Before I watch TV, I finish my homework.

➡ _____, 숙제를 끝낸다.

10 After she brushes her teeth, she goes to bed.

➡ _____, 잠자리에 든다.

11 After he made some sandwiches, he gave his dog a bone.

➡ _____, 자기 개에게 뼈다귀를 하나 주었다.

12 After they made a snowman, they took pictures.

➡ _____, 사진을 찍었다.

WORDS · die 죽다 · chew (음식을) 씹다 · fire alarm 화재경보기 · leave a note 쪽지를 남기다 · bone 뼈

B 다음 중 알맞은 말을 찾아 괄호 안에 주어진 접속사와 함께 문장을 완성하세요.

> we cross the street   he saw Annie   he took a shower
>
> she was playing the piano   I go to bed   we came up to you
>
> you wash the dishes   I arrived home   she leaves
>
> he goes out   you were cleaning the room   they were studying at the library

1 _____When I arrived home_____, I found a box at my door. (when)
나는 집에 도착했을 때, 문에서 상자 하나를 발견했다.

2 _____, she was with her dog. (when)
그가 애니를 보았을 때, 그녀는 자기 개와 함께 있었다.

3 _____, you were taking pictures. (when)
우리가 네게 다가갔을 때, 너는 사진을 찍고 있었다.

4 _____, the lights went out. (while)
그들이 도서관에서 공부하고 있는 동안, 불이 나갔다.

5 _____, I cleaned the window. (while)
네가 방을 청소하고 있는 동안, 내가 창문을 닦았다.

6 _____, her brother slept. (while)
그녀가 피아노를 치고 있는 동안, 그녀의 남동생은 잤다.

7 _____, you should put on your apron. (before)
너는 설거지를 하기 전에, 앞치마를 입는 것이 좋겠다.

8 _____, we have to look both ways. (before)
우리는 길을 건너기 전에, 양쪽 길을 봐야 한다.

9 _____, they have to finish the painting. (before)
그녀가 떠나기 전에, 그들은 그 그림을 끝내야 한다.

10 _____, you may sit down. (after)
그가 나간 후에, 네가 앉아도 된다.

11 _____, my father comes home. (after)
내가 잠자리에 든 후에, 우리 아버지는 집에 오신다.

12 _____, he drank a bottle of water. (after)
그는 샤워를 한 후에, 물 한 병을 마셨다.

WORDS · **come up to** ~에게 다가가다   · **go out** 나가다   · **apron** 앞치마   · **both ways** 길 양쪽

Grammar Fly! ·

A 다음 두 문장을 괄호 안의 접속사를 사용하여 한 문장으로 바꿔 쓰세요.

1 She has a cold. / She eats chicken soup.

➡ _____When she has a cold, she eats chicken soup._____ (when)

그녀는 감기에 걸릴 때, 닭고기 수프를 먹는다.

2 You need my help. / I will help you.

➡ _____ (when)

네가 내 도움이 필요할 때, 내가 너를 도와줄 것이다.

3 I visited Mark. / He was making a kite.

➡ _____ (when)

내가 마크를 찾아갔을 때, 그는 연을 만들고 있었다.

4 We were staying there. / It snowed a lot.

➡ _____ (while)

우리가 그곳에 머무르고 있는 동안, 눈이 많이 내렸다.

5 She was watching TV. / Her cat played with the box.

➡ _____ (while)

그녀가 TV를 보고 있는 동안, 그녀의 고양이는 상자를 가지고 놀았다.

6 He was washing his car. / The doorbell rang.

➡ _____ (while)

그가 세차를 하고 있는 동안, 초인종이 울렸다.

7 I study. / I tidy my desk.

➡ _____ (before)

나는 공부하기 전에, 내 책상을 정돈한다.

8 She left the room. / Mike asked a question.

➡ _____ (before)

그녀가 방을 나가기 전에, 마이크가 질문을 했다.

9 Tony plays tennis. / He drinks water.

➡ _____ (before)

토니는 테니스를 치기 전에, 물을 마신다.

10 We arrived home. / It started to rain.

➡ _____ (after)

우리가 집에 도착한 후에, 비가 내리기 시작했다.

11 He has dinner. / He will go to a movie.

➡ _____ (after)

그는 저녁 식사를 한 후에, 영화를 보러 갈 것이다.

12 Rose ate the fish. / She had a stomachache.

➡ _____ (after)

로즈는 그 생선을 먹은 후에, 배가 아팠다.

WORDS · **chicken soup** 닭고기 수프   · **doorbell** 초인종   · **tidy** 정돈하다   · **fish** 생선   · **stomachache** 복통

B 주어진 말을 바르게 배열하여 다음 문장을 완성하세요.

1 내가 상을 탔을 때, 엄마는 무척 기뻐하셨다. (when / won the prize / I)

➡ ___When I won the prize___ , Mom was so happy.

2 피곤할 때, 일찍 잠자리에 들어라. (when / feel tired / you)

➡ _____ , go to bed early.

3 그녀가 세 살 때, 그녀의 가족은 서울로 이사를 갔다. (when / was 3 years old / she)

➡ _____ , her family moved to Seoul.

4 네가 쇼핑을 하는 동안, 나는 여기에서 기다릴 것이다. (while / are shopping / you)

➡ _____ , I will wait here.

5 나는 등산하는 동안, 다람쥐 몇 마리를 보았다. (while / was climbing the mountain / I)

➡ _____ , I saw a few squirrels.

6 내가 책을 읽는 동안, 내 남동생은 숙제를 한다. (while / am reading books / I)

➡ _____ , my brother does his homework.

7 학교가 시작하기 전에, 그는 돌아올 것이다. (before / starts / school)

➡ _____ , he will come back.

8 어두워지기 전에, 우리는 출발해야 한다. (before / gets dark / it)

➡ _____ , we have to leave.

9 슈퍼마켓이 문을 닫기 전에, 채소를 좀 사자. (before / closes / the supermarket)

➡ _____ , let's buy some vegetables.

10 그는 샤워를 한 후에, 잠자리에 든다. (after / takes a shower / he)

➡ _____ , he goes to bed.

11 그녀는 그 책을 다 읽은 후에, 내게 빌려 주었다. (after / finished the book / she)

➡ _____ , she lent it to me.

12 아빠가 도착하신 후에, 우리는 파티를 시작할 것이다. (after / arrives / Dad)

➡ _____ , we will start the party.

WORDS · **win a prize** 상을 타다 · **shop** 쇼핑하다 · **squirrel** 다람쥐 · **lend** 빌려 주다

Grammar & Writing

A 　그림 묘사하기　어제 제이슨은 부모님께서 모두 외출하셔서 집에 혼자 있었습니다. 그림을 보고, 제이슨의 어제 하루가 어땠는지 주어진 말을 사용하여 문장을 완성하세요.

1

(while, was reading a book)

While Jason was reading a book , the phone rang.

2

(while, was talking on the phone)

_____, someone knocked on the door.

3

(when, opened the door)

_____, the water started boiling.

4

(when, turned off the gas)

_____, his dog began to bark.

5

(while, was feeding his dog)

_____, the phone rang again.

 WORDS　· **knock** 두드리다, 노크하다　· **boil** 끓다　· **bark** 짖다　· **again** 다시

B 표 해석하기 지미가 지난 토요일에 한 일을 표로 만들어 발표했습니다. 표를 보고, after와 before를 사용하여 다음 문장을 완성하세요.

Last Saturday			
7:30 a.m.	had breakfast	2:00 p.m.	did my homework
9:00 a.m.	rode a bike	4:00 p.m.	made a kite
10:00 a.m.	met Dave	6:00 p.m.	had dinner
10:20 a.m.	played basketball	7:00 p.m.	watched TV
11:40 a.m.	took a shower	8:00 p.m.	read a book
12:00 p.m.	had lunch	9:30 p.m.	went to bed

1 _____After I had breakfast_____ , I rode a bike.

= _____Before I rode a bike_____ , I had breakfast.

2 _____ , I played basketball.

= _____ , I met Dave.

3 _____ , I had lunch.

= _____ , I took a shower.

4 _____ , I made a kite.

= _____ , I did my homework.

5 _____ , I watched TV.

= _____ , I had dinner.

6 _____ , I went to bed.

= _____ , I read a book.

WORDS · **ride** 타다 · **meet** 만나다

UNIT TEST 07

[1-3] 다음 문장의 빈칸에 알맞은 말을 고르세요.

1

_____ she was 8 years old, she lived in Busan.

그녀는 여덟 살 때, 부산에 살았다.

❶ While　　❷ When　　❸ Before　　❹ After　　❺ In

2

_____ you have dinner, wash your hands first.

저녁 식사를 하기 전에, 먼저 손을 씻어라.

❶ While　　❷ When　　❸ Before　　❹ After　　❺ In

3

_____ he took a shower, he put on a new T-shirt.

그는 샤워를 한 후에, 새 티셔츠를 입었다.

❶ While　　❷ When　　❸ Before　　❹ After　　❺ In

[4-6] 다음 문장에서 밑줄 친 부분의 우리말 뜻으로 알맞은 것을 고르세요.

4

<u>While she was reading a book,</u> Dave called her.

❶ 그녀가 책을 읽고 있는 동안　　　❷ 그녀가 책을 읽은 후에

❸ 그녀가 책을 읽기 전에　　　❹ 그녀가 책을 읽자마자

❺ 그녀가 책을 읽고 있어서

5

> Before it rains, let's go home.

❶ 비가 내리는 동안   ❷ 비가 내린 후에   ❸ 비가 내려서

❹ 비가 내릴 때   ❺ 비가 내리기 전에

6

> After she brushes her teeth, she goes to bed.

❶ 그녀는 이를 닦기 전에   ❷ 그녀는 이를 닦는 동안   ❸ 그녀는 이를 닦을 때

❹ 그녀는 이를 닦은 후에   ❺ 그녀는 이를 닦기 위해서

[7–9] 다음 밑줄 친 부분을 영어로 바르게 옮긴 것을 고르세요.

7

> 아빠는 운전하고 계시는 동안, he sings along with the radio.

❶ When Dad is driving   ❷ Before Dad is driving   ❸ While Dad is driving

❹ After Dad is driving   ❺ And Dad is driving

8

> 우리는 축구를 한 후에, we went to eat pizza.

❶ After we played soccer   ❷ Before we played soccer

❸ While we played soccer   ❹ When we played soccer

❺ But we played soccer

9

> 겨울이 오기 전에, they have to save food.

❶ While winter comes   ❷ Before winter comes   ❸ When winter comes

❹ After winter comes   ❺ For winter comes

[10-11] 다음 짝지어진 두 문장의 의미가 같도록 빈칸에 알맞은 말을 고르세요.

10

> Before I watch TV, I finish my homework.
> = _____ I finish my homework, I watch TV.

❶ When   ❷ While   ❸ And   ❹ Behind   ❺ After

11

> After he made some sandwiches, he gave his dog a bone.
> = _____ he gave his dog a bone, he made some sandwiches.

❶ While   ❷ Before   ❸ But   ❹ During   ❺ When

12 다음 문장의 빈칸에 들어갈 수 <u>없는</u> 말을 고르세요.

> _____ he ran a marathon, he was very thirsty.

❶ When   ❷ While   ❸ And   ❹ After   ❺ Before

[13 – 15] 다음 주어진 말이 들어갈 위치로 알맞은 것을 고르세요.

13 | while |

❶ you ❷ are chewing ❸ your food, ❹ don't talk ❺.

음식을 씹고 있는 동안, 말하지 마라.

14 | I |

Before ❶ study, ❷ I ❸ tidy ❹ my desk ❺.

나는 공부를 하기 전에, 책상을 정돈한다.

15 | when |

❶ he ❷ saw ❸ Jenny, ❹ she was ❺ with her dog.

그가 제니를 보았을 때, 그녀는 자기 개와 함께 있었다.

[16 – 18] 다음 우리말 뜻과 같도록 괄호 안에서 알맞은 말을 고르세요.

16

너는 설거지를 하기 전에, 앞치마를 입는 것이 좋겠다.

➡ (Before / After) you wash the dishes, you should put on your apron.

17

내가 마크를 찾아갔을 때, 그는 연을 만들고 있었다.

➡ When (I visited / to visit) Mark, he was making a kite.

18

그녀는 그 책을 다 읽은 후에, 내게 빌려 주었다.

➡ (While / After) she finished the book, she lent it to me.

[19-21] 다음 우리말 뜻과 같도록 빈칸에 알맞은 말을 쓰세요.

19 그녀의 할아버지께서 돌아가셨을 때, 그녀는 다섯 살이었다.

➡ _____ her grandfather died, she was 5 years old.

20 어두워지기 전에, 우리는 출발해야 한다.

➡ _____ it gets dark, we have to leave.

21 그는 피아노를 연습한 후에, 케빈을 만났다.

➡ _____ he practiced the piano, he met Kevin.

[22-25] 주어진 말을 바르게 배열하여 문장을 쓰세요.

22 (my dog is happy / when / he jumps / , / .)

➡ _____

우리 개는 행복할 때, 점프를 한다.

23 (they stayed with us / they were in Seoul / while / , / .)

➡ _____

그들은 서울에 있는 동안, 우리와 함께 머물렀다.

24 (you cross the street / you have to look both ways / before / , / .)

➡ _____

길을 건너기 전에, 양쪽 길을 봐야 한다.

25 (after / it began to rain / I arrived home / , / .)

➡ _____

내가 집에 도착한 후에, 비가 내리기 시작했다.

WRAP UP

1 접속사

❶ ¹[　　　　　]는 단어와 단어, 구와 구, 절과 절, 문장과 문장을 연결해 준다.

❷ 절은 주어와 동사(서술어)가 있는 단어들의 모임이다. 이 절은 ²[　　　　　]에 의해 문장에 연결된다.

2 시간의 의미를 더해 주는 접속사

❶ 「접속사+주어+¹[　　　　　] ~」의 형태로 '시간'의 의미를 더해 주는 접속사가 있다.

when+주어+동사 ~	while+주어+동사 ~	before+주어+동사 ~	after+주어+동사 ~
²[　　　]	~하면서, ~하는 동안	~하기 전에	³[　　　]

❷ 「접속사+주어+동사 ~」는 문장의 앞이나 뒤에 올 수 있다. 앞에 올 때는 뒤에 ⁴[　　　　　]를 써서 구별해 준다.

Check Up 그림을 보고, 알맞은 말을 찾아 다음 대화의 빈칸에 쓰세요.

when　　　while　　　before　　　after

08 접속사 (2)

이번 시험에서 꼭 높은 점수를 받으리라.

시험을 잘 보면 내가 갖고 싶어 하던 스노보드를
사 주신다는 엄마.

이렇게 if는 '~한다면'이라는 뜻으로
조건을 나타내며 문장을 연결해 주는
접속사다.

If you get a good score,
I'll buy you a snowboard.

Because I studied hard,
I got a good score.

신 난다! 시험을 잘 봤어.

내가 시험을 잘 본 건,
열심히 공부를 했기 때문이지.

원인과 결과를 연결해 주는 말인
접속사 because가 있어 인과 관계를
분명하게 말할 수 있으니 얼마나 좋아.

I believe **that** you'll buy me a board today.

사 달라는 말도 해야 하고,
믿는다는 말도 해야 하는데….

할 말이 이렇게 많을 때는 문장을
목적어로 묶어 주는 접속사 that이
만능 해결사구나.

12월

The problem is **that** it is spring now.

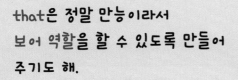

that은 정말 만능이라서
보어 역할을 할 수 있도록 만들어
주기도 해.

하지만 내 마음대로 안 되는
계절은 어쩔 수 없구나.

겨울아, 얼른 와.

01 접속사 because와 if

because는 '이유'의 의미를 더해 주고, if는 '조건'의 의미를 더해 주는 접속사입니다.

A 접속사 because

because는 '(누가 또는 무엇이) ~해서, ~하기 때문에'라는 뜻으로, 어떤 일이 일어난 '이유'를 말할 때 사용합니다. 「because+주어+동사 ~」의 형태로 씁니다.

Because it is raining, take your umbrella. 비가 내리고 있으니까, 우산을 가져가라.

= Take your umbrella **because** it is raining.

Because I was thirsty, I drank water. 나는 목이 말라서, 물을 마셨다.

= I drank water **because** I was thirsty.

Because he studied hard, he will pass the test. 그는 열심히 공부했기 때문에, 시험에 통과할 것이다.

= He will pass the test **because** he studied hard.

B 접속사 if

if는 '(누가 또는 무엇이) ~하면, ~한다면'이라는 뜻으로, 불확실한 어떤 일을 가정하거나 어떤 일을 조건으로 걸 때 사용합니다. 「if+주어+동사 ~」의 형태로 씁니다.

If you feel thirsty, drink some water. 너는 목이 마르면, 물을 좀 마셔라.

= Drink some water **if** you feel thirsty.

If we don't hurry, we will be late. 우리는 서두르지 않으면, 늦을 것이다.

= We will be late **if** we don't hurry.

If it is nice tomorrow, they will go on a picnic. 내일 날씨가 좋으면, 그들은 소풍을 갈 것이다.

= They will go on a picnic **if** it is nice tomorrow.

Grammar Walk

정답 및 해설 33쪽

A 다음 문장에서 접속사를 찾아 동그라미 하세요.

1 (Because) I am sick, I will go to the doctor.

2 Because we are busy now, we can't help them.

3 Because Susan exercises every day, she looks healthy.

4 Because she loves the song, she always listens to it.

5 Because Nick told a lie, his mom was sad.

6 Because it was raining, he stayed at home.

7 Because the room was hot, we opened the window.

8 Because he hurt his arm, he didn't play the piano.

9 If you are tired, you should go to bed early.

10 If the weather is nice, she often goes to the beach.

11 If you practice hard, you will win the race.

12 If it snows tomorrow, he will go skiing.

13 If Jack is late again, she will get angry.

14 If we don't hurry, we will miss the train.

15 If I finish my painting, I will give it to Sue.

「because+주어+동사 ~」는 접속사 because(~하기 때문에)로 연결되어 문장에서 부사 역할을 하는 부사절이야.

「if+주어+동사 ~」도 접속사 if(~하면)로 연결되어 문장에서 부사 역할을 하는 부사절이지.

WORDS · **tell a lie** 거짓말하다   · **hurt** 다치게[아프게] 하다   · **hurry** 서두르다   · **miss** 놓치다

02 접속사 that

「that+주어+동사 ~」는 문장에서 명사처럼 주어, 보어, 목적어 역할을 할 수 있습니다.
이때 that은 명사 역할을 하는 절을 연결해 주는 접속사입니다.

A 주어로 쓰이는 「that+주어+동사 ~」

동사 앞에 「that+주어+동사 ~」를 쓰면 '(누가, 무엇이) ~하는 것은[것이]'라는 뜻으로
문장에서 주어로 쓰입니다.

That we keep the rules is important. 우리가 그 규칙을 지키는 것은 중요하다.
That he was a popular singer is true. 그가 인기 있는 가수였다는 것은 사실이다.

B 목적어로 쓰이는 「that+주어+동사 ~」

일반동사 뒤에 「that+주어+동사 ~」가 오면 '(누가, 무엇이) ~하는 것을', '(누가, 무엇이) ~라고'의
뜻으로 문장에서 목적어로 쓰입니다.

I think **that** he is a good painter. 나는 그가 훌륭한 화가라고 생각한다.
I know **that** you like skating. 나는 네가 스케이트 타는 것을 좋아한다는 것을 안다.

C 보어로 쓰이는 「that+주어+동사 ~」

be동사 뒤에 「that+주어+동사 ~」가 오면 '(누가, 무엇이) ~하는 것이다'라는 뜻으로
문장에서 보어로 쓰입니다.

The problem is **that** he doesn't like the color. 문제는 그가 그 색을 좋아하지 않는다는 것이다.
The fact is **that** she broke the window. 사실은 그녀가 창문을 깼다는 것이다.

Grammar Walk

정답 및 해설 34쪽

A 다음 문장에서 접속사를 찾아 동그라미 하세요.

1 (That) we jump here is dangerous.

2 That he is handsome is true.

3 That they love K-pop is interesting.

4 That we save water is not difficult.

5 She knows that they are very lazy.

6 I believe that people are kind.

7 He thinks that she is a great skater.

8 We hope that you will win the game.

9 I think that he will be fine.

10 They expect that he will arrive today.

11 She thinks that Max broke the vase.

12 We know that Jack hurt his arm.

13 The fact is that a spider has eight legs.

14 The truth is that she told a lie.

15 His problem is that he doesn't like singing.

「that+주어+동사 ~」가 주어일 때는 주어가 어디까지인지 구별할 수 있어야 해. 문장에서 두 번째로 나오는 동사 앞까지가 주어야.

1번은 That we jump here is dangerous.에서 두 번째로 나온 동사가 is니까, That we jump here가 주어구나.

WORDS · **dangerous** 위험한 · **believe** 믿다 · **expect** 예상하다, 기대하다 · **fact** 사실 · **truth** 사실, 진실

Grammar Run! ....

A 다음 문장의 괄호 안에서 알맞은 말을 골라 동그라미 하세요.

1 (If /(Because)) it was cold, I wore a coat.
날씨가 추워서, 나는 외투를 입었다.

접속사가 있는 절이 '이유(~해서, ~하기 때문에)'의 의미인지 '조건(~하면)'의 의미인지 잘 살펴봐.

2 (If / Because) they were late, they took a taxi.
그들은 늦어서, 택시를 탔다.

3 (If / Because) he got a good score, he was happy.
그는 좋은 점수를 받아서, 행복했다.

4 (If / Because) she was sleepy, she went to bed early.
그녀는 졸려서, 일찍 잠자리에 들었다.

5 (If / Because) Mom cooks dinner, I set the table.
엄마가 저녁 식사를 요리하시면, 내가 식탁을 차린다.

6 (If / Because) he finds your wallet, he will bring it to you.
그가 네 지갑을 찾으면, 그것을 네게 가져다줄 것이다.

7 (That / If) I visit London, I want to take a double-decker bus.
나는 런던을 방문하면, 이층 버스를 타고 싶다.

8 (That / If) you wash the dishes, I will clean the room.
네가 설거지를 하면, 나는 방을 청소할 것이다.

9 (That / If) Oliver knows the secret is not true.
올리버가 그 비밀을 알고 있다는 것은 사실이 아니다.

「because/if+주어+동사 ~」가 문장 앞에 오면 쉼표(,)로 구분해 주지만, 「that+주어+동사 ~」는 쉼표를 쓰지 않아.

10 (That / Because) she forgot my name is clear.
그녀는 내 이름을 잊어버린 것이 분명하다.

11 I think (that / if) the book is interesting.
나는 그 책이 재미있다고 생각한다.

12 They know (that / if) you play the piano well.
그들은 네가 피아노를 잘 친다는 것을 알고 있다.

13 We believe (that / because) our team will win.
우리는 우리 팀이 이길 것이라고 믿는다.

14 He heard (that / if) she was in Sydney.
그는 그녀가 시드니에 있다고 들었다.

15 I hope (that / because) Minho likes my present.
나는 민호가 내 선물을 좋아하기를 바란다.

B 다음 문장에서 주어진 말이 들어갈 위치로 알맞은 곳에 동그라미 하세요.

1 ❶ Mom was sick, ❷ Dad cooked dinner for us. (because)
엄마가 아프셔서, 아빠가 우리를 위해 저녁 식사를 요리하셨다.

2 ❶ Harry was so busy, ❷ he didn't join us. (because)
해리는 무척 바빠서, 우리와 함께하지 않았다.

3 ❶ Clara is kind, ❷ she is popular. (because)
클라라는 친절해서, 인기가 있다.

4 ❶ Minjun lived in Canada, ❷ he speaks English well. (because)
민준이는 캐나다에서 살았기 때문에, 영어를 잘 말한다.

5 ❶ it is sunny tomorrow, ❷ we will go on a picnic. (if)
내일 날씨가 화창하면, 우리는 소풍을 갈 것이다.

6 ❶ you hurry, ❷ you can catch the train. (if)
너는 서두르면, 그 기차를 탈 수 있다.

7 ❶ he studies harder, ❷ his mom will be happy. (if)
그가 공부를 더 열심히 하면, 그의 엄마는 기뻐하실 것이다.

8 ❶ I send this letter now, ❷ you will get it tomorrow. (if)
내가 이 편지를 지금 보내면, 너는 내일 그것을 받을 것이다.

9 ❶ she loves Tom ❷ is true. (that)
그녀가 톰을 사랑하는 것은 사실이다.

10 ❶ the Earth is round ❷ is a fact. (that)
지구가 둥글다는 것은 사실이다.

11 ❶ I know ❷ you are a good friend. (that)
나는 네가 좋은 친구라는 것을 안다.

12 ❶ We believe ❷ Bill is very diligent. (that)
우리는 빌이 매우 부지런하다고 믿는다.

13 ❶ They think ❷ he was one of the greatest kings. (that)
그들은 그가 가장 위대한 왕들 중 한 사람이었다고 생각한다.

14 ❶ I hope ❷ you will enjoy yourself. (that)
나는 네가 즐거운 시간을 보내기를 바란다.

15 ❶ Her problem is ❷ she is too lazy. (that)
그녀의 문제는 그녀가 너무 게으르다는 것이다.

「that+주어+동사 ~」는 '~하는 것'이라는 뜻으로 문장에서 주어, 목적어, 보어 역할을 해.

 · **join** 함께하다, 합류하다 ·**get** 받다 ·**round** 둥근 ·**enjoy oneself** 즐거운 시간을 보내다

Grammar Jump!

A 다음 중 알맞은 말을 찾아 괄호 안에 주어진 접속사와 함께 문장을 완성하세요.

> I finish my homework early   you are late again   Mark drank too much coffee
> Kate had a question   Jamie is honest   we were hungry
> it rains tomorrow   she will win the gold medal   the movie was boring
> you wait a minute   my computer is broken   they can save the sick child

1 _Because Mark drank too much coffee_ , he couldn't sleep well. (because)
마크는 커피를 너무 많이 마셔서, 잠을 잘 자지 못했다.

2 _____, we ate some sandwiches. (because)
우리는 배가 고파서, 샌드위치를 조금 먹었다.

3 _____, I can't send e-mail to him. (because)
내 컴퓨터가 고장 나서, 나는 그에게 이메일을 보내지 못한다.

4 _____, she raised her hand. (because)
케이트는 질문이 있어서, 손을 들었다.

5 _____, I will go to the concert. (if)
나는 숙제를 일찍 끝내면, 그 콘서트에 갈 것이다.

6 _____, they won't play soccer. (if)
내일 비가 오면, 그들은 축구를 하지 않을 것이다.

7 _____, he will come with you. (if)
네가 잠깐만 기다리면, 그가 너와 함께 올 것이다.

8 _____, your teacher will get angry. (if)
네가 다시 늦으면, 너희 선생님은 화를 내실 것이다.

9 She knows _____. (that)
그녀는 제이미가 정직하다는 것을 알고 있다.

10 Most people expect _____. (that)
대부분의 사람들이 그녀가 금메달을 딸 것이라고 예상한다.

11 They believe _____. (that)
그들은 그 아픈 아이를 구할 수 있다고 믿는다.

12 He thought _____. (that)
그는 그 영화가 지루하다고 생각했다.

WORDS   · **honest** 정직한   · **medal** 메달   · **wait a minute** 잠깐 기다리다   · **save** 구하다   · **most** 대부분의

B 다음 중에서 알맞은 말을 찾아 빈칸에 쓰세요. 중복해서 사용할 수 있어요.

because	if	that

1 <u>Because</u> he had to take care of his dog, he went home early.

그는 자기 개를 돌봐야 했기 때문에, 일찍 집에 갔다.

2 _____ I was taking a shower, I couldn't answer the phone.

나는 샤워를 하고 있었기 때문에, 그 전화를 받을 수가 없었다.

3 _____ October 9th is a holiday, we don't have to go to school.

10월 9일은 휴일이기 때문에, 우리는 학교에 갈 필요가 없다.

4 _____ I have an exam tomorrow, I can't go out tonight.

나는 내일 시험이 있기 때문에, 오늘 밤 외출할 수 없다.

5 _____ it snows tomorrow, let's make a snowman.

내일 눈이 내리면, 눈사람을 만들자.

6 _____ I'm late, don't wait for me.

내가 늦으면, 나를 기다리지 마라.

7 _____ you don't hurry, we will miss the plane.

네가 서두르지 않으면, 우리는 비행기를 놓칠 것이다.

8 _____ you go straight, you will find the bookstore.

똑바로 가면, 그 서점을 찾을 것이다.

9 He believes _____ we can travel in space soon.

그는 머지않아 우리가 우주여행을 할 수 있다고 믿는다.

10 We know _____ the Earth is getting warmer.

우리는 지구가 점점 더워지고 있다는 것을 알고 있다.

11 He hopes _____ she will pass the test.

그는 그녀가 시험에 합격하기를 바란다.

12 They think _____ she is the best player in the world.

그들은 그녀가 세계 최고의 선수라고 생각한다.

13 I expect _____ I can visit China next summer.

나는 내년 여름에 중국을 방문할 수 있기를 기대한다.

WORDS · **take care of** ~을 돌보다 · **holiday** 공휴일, 휴일 · **straight** 똑바로 · **space** 우주 · **soon** 머지않아

Grammar Fly! . . . .

A   주어진 접속사를 사용하여 다음을 한 문장으로 바꿔 쓰세요.

1   It was very cold. / I closed the window. (because)
➡ ___Because it was very cold, I closed the window.___
날씨가 몹시 추워서, 나는 창문을 닫았다.

2   He had a toothache. / He went to the dentist. (because)
➡ _____
그는 이가 아파서, 치과에 갔다.

3   She joined the drama club. / She is very happy. (because)
➡ _____
그녀는 연극부에 가입해서, 무척 행복하다.

4   You hurt your leg. / You should not play soccer today. (because)
➡ _____
너는 다리를 다쳤기 때문에, 오늘 축구를 하지 않는 것이 좋겠다.

5   You find my cell phone. / Bring it to me. (if)
➡ _____
네가 내 휴대 전화를 찾으면, 내게 가져다줘.

6   William watches this scary film. / He will not be able to sleep. (if)
➡ _____
윌리엄은 이 무서운 영화를 보면, 잠을 못 잘 것이다.

7   Grace finishes her homework. / She will help her brother. (if)
➡ _____
그레이스는 숙제를 끝내면, 자기 남동생을 도와줄 것이다.

8   The zoo isn't far from the station. / We will walk there. (if)
➡ _____
동물원이 역에서 멀지 않으면, 우리는 거기에 걸어갈 것이다.

9   They know. / Alice is very smart. (that)
➡ _____
그들은 앨리스가 무척 영리하다는 것을 안다.

10 My mother thought. / The bag was too expensive. (that)
➡ _____
우리 어머니는 그 가방이 너무 비싸다고 생각하셨다.

11 She believed. / She was the most beautiful woman in the world. (that)
➡ _____
그녀는 자신이 세상에서 가장 아름다운 여자라고 믿었다.

12 I hope. / You will enjoy the concert. (that)
➡ _____
나는 네가 그 콘서트를 즐기기를 바란다.

WORDS   · **toothache** 치통   · **dentist** 치과   · **join** 가입하다   · **scary** 무서운   · **far from** ~에서 먼

B 주어진 말을 바르게 배열하여 다음 문장을 완성하세요.

1 눈이 내려서, 그들은 눈싸움을 했다. (snowed / it / because)
➡ _____ Because it snowed _____, they had a snowball fight.

2 전화가 와서, 그녀는 전화를 받았다. (rang / the phone / because)
➡ _____, she answered it.

3 그는 공책 몇 권이 필요해서, 가게에 갔다. (needed some notebooks / he / because)
➡ _____, he went to the store.

4 그 아기가 자고 있어서, 그들은 조용히 했다. (was sleeping / the baby / because)
➡ _____, they were quiet.

5 너는 외투를 입지 않으면, 감기에 걸릴 것이다. (don't wear your coat / you / if)
➡ _____, you will catch a cold.

6 그는 여가 시간이 있으면, 자주 등산을 간다. (has free time / he / if)
➡ _____, he often climbs a mountain.

7 우리 삼촌은 서울에 오시면, 우리와 함께 머무르실 것이다. (comes to Seoul / my uncle / if)
➡ _____, he will stay with us.

8 내가 거짓말을 하면, 우리 부모님은 슬퍼하실 것이다. (tell a lie / I / if)
➡ _____, my parents will be sad.

9 나는 그녀가 옳다고 믿는다. (is right / she / that)
➡ I believe _____.

10 나는 그가 영어를 잘 말한다는 것을 안다. (speaks English / he / well / that)
➡ I know _____.

11 우리는 그들이 중국 출신이라고 생각했다. (were from / they / China / that)
➡ We thought _____.

12 그는 그녀가 스페인에 있다고 들었다. (was in Spain / she / that)
➡ He heard _____.

WORDS · **snowball fight** 눈싸움 · **catch a cold** 감기에 걸리다 · **free time** 여가 시간 · **right** 옳은, 올바른

Grammar & Writing

A 정보 활용하기 다음은 잭의 친구들의 현재 감정과 상태를 나타낸 그림입니다. 그림을 보고, 그 이유를 설명하는 문장을 완성하세요.

1

(hurt itself / sad)

___Because his dog hurt itself___ , he ___is sad___ .

2

(won the game / happy)

_____ , he _____ .

3

(went to bed late / tired)

_____ , she _____ .

4

(has a lot of homework / busy)

_____ , she _____ .

5

(lost his bike / angry)

_____ , he _____ .

WORDS
· **tired** 피곤한, 지친   · **busy** 바쁜   · **lose** 잃어버리다

B 표 해석하기 다음은 한 TV 프로그램에 대한 지훈이네 반 친구들의 설문 조사 결과입니다. 표를 보고, 다음 문장을 완성하세요.

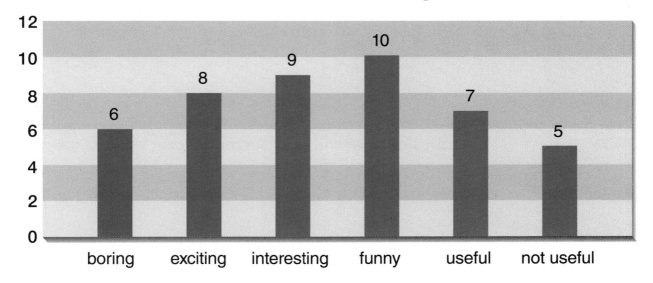

What Do You Think of This Program?

1 Six students think ___ that the TV program is boring ___ .

2 Eight students think _____ .

3 Nine students think _____ .

4 Ten students think _____ .

5 Seven students think _____ .

6 Five students think _____ .

 · **funny** 우스운, 웃기는 · **useful** 유용한, 유익한

UNIT TEST 08

[1-3] 다음 문장의 빈칸에 알맞은 말을 고르세요.

1

_____ he was thirsty, he drank water. 그는 목이 말라서, 물을 마셨다.

❶ Because　　❷ While　　❸ If　　❹ After　　❺ That

2

_____ the rain stops, we will play soccer. 비가 그치면, 우리는 축구를 할 것이다.

❶ Because　　❷ While　　❸ If　　❹ Before　　❺ That

3

She thinks _____ the book is useful. 그녀는 그 책이 유익하다고 생각한다.

❶ because　　❷ when　　❸ if　　❹ before　　❺ that

[4-6] 다음 문장에서 밑줄 친 부분의 우리말 뜻으로 알맞은 것을 고르세요.

4

<u>Because he told a lie</u>, his dad was angry.

❶ 그가 거짓말했다면　　❷ 그가 거짓말해서　　❸ 그가 거짓말했다는 것을

❹ 그가 거짓말한 후에　　❺ 그가 거짓말하는 동안

5

<u>If you practice hard</u>, you will win the game.

❶ 네가 열심히 연습해서　　❷ 네가 열심히 연습할 때　　❸ 네가 열심히 연습하는 동안

❹ 네가 열심히 연습하면　　❺ 네가 열심히 연습하는 것을

6

> That we keep the rules is important.

❶ 우리가 규칙을 지켜서   ❷ 우리가 규칙을 지키는 것은   ❸ 우리가 규칙을 지키기 전에

❹ 우리가 규칙을 지키면   ❺ 우리가 규칙을 지키는 동안

[7 – 9] 다음 문장의 밑줄 친 부분을 영어로 바르게 옮긴 것을 고르세요.

7

> 그녀는 다리를 다쳐서, she can't play tennis.

❶ Because she hurt her leg   ❷ After she hurt her leg

❸ While she hurt her leg   ❹ That she hurt her leg

❺ When she hurt her leg

8

> 나는 파리를 방문하면, I want to climb the Eiffel Tower on foot.

❶ Before I visit Paris   ❷ Because I visit Paris

❸ While I visit Paris   ❹ That I visit Paris

❺ If I visit Paris

9

> They know 네가 바이올린을 잘 켠다는 것을.

❶ when you play the violin well   ❷ if you play the violin well

❸ while you play the violin well   ❹ that you play the violin well

❺ because you play the violin well

[10-11] 다음 문장의 빈칸에 공통으로 알맞은 말을 고르세요.

10

> • _____ we are busy now, we can't help you.
> • _____ Clara is kind, she is popular.

❶ Because   ❷ When   ❸ If   ❹ That   ❺ After

11

> • Her problem is _____ she is too lazy.
> • We believe _____ he is a great musician.

❶ after   ❷ that   ❸ when   ❹ if   ❺ because

12 다음 중 밑줄 친 부분이 <u>잘못된</u> 문장을 고르세요.

❶ <u>Because</u> Mom was sick, Dad cooked dinner.

❷ <u>If</u> it is sunny tomorrow, we will go on a picnic.

❸ I hope <u>that</u> you will enjoy yourself.

❹ <u>If</u> the Earth is round is a fact.

❺ The fact is <u>that</u> a cheetah runs very fast.

[13 – 15] 다음 주어진 말이 들어갈 위치로 알맞은 것을 고르세요.

13 | because | ❶ he ❷ lived in London, ❸ he speaks ❹ English well ❺.
그는 런던에서 살았기 때문에, 영어를 잘 말한다.

14 | if | ❶ it ❷ rains tomorrow, ❸ they ❹ won't play soccer ❺.
내일 비가 오면, 그들은 축구를 하지 않을 것이다.

15 | that | ❶ She ❷ knows ❸ Jamie ❹ is ❺ honest.
그녀는 제이미가 정직하다는 것을 알고 있다.

[16 – 18] 다음 우리말 뜻과 같도록 괄호 안에서 알맞은 말을 고르세요.

16

나는 질문이 있어서, 손을 들었다.

➡ (After / Because) I had a question, I raised my hand.

17

네가 또 늦으면, 그는 화를 낼 것이다.

➡ If (are you / you are) late again, he will get angry.

18

그들은 자기 팀이 그 경기에서 이기기를 기대한다.

➡ They expect (that / when) their team will win the game.

[19-21] 다음 우리말 뜻과 같도록 빈칸에 알맞은 말을 쓰세요.

19 그는 샤워를 하고 있었기 때문에, 그 전화를 받을 수 없었다.

➡ _____ he was taking a shower, he couldn't answer the phone.

20 너는 외투를 입지 않으면, 감기에 걸릴 것이다.

➡ _____ you don't wear your coat, you will catch a cold.

21 우리는 그가 중국에 있다고 들었다.

➡ We heard _____ he was in China.

[22-25] 주어진 말을 바르게 배열하여 문장을 쓰세요.

22 (the room was hot / because / we opened the window / , / .)

➡ _____

방이 더워서, 우리는 창문을 열었다.

23 (you are tired / if / you should go to bed / early / , / .)

➡ _____

너는 피곤하면, 일찍 잠자리에 드는 것이 좋겠다.

24 (she will pass the exam / he / hopes / that / .)

➡ _____

그는 그녀가 그 시험에 합격하기를 바란다.

25 (the book is interesting / I think / that / .)

➡ _____

나는 그 책이 재미있다고 생각한다.

1 접속사 because, if

❶ 절과 절을 연결할 때, ¹[   ]는 '이유'의 의미를 더해 주고, if는 '²[   ]'의 의미를 더해 준다.

❷ ³[   ]+주어+동사: (누가 또는 무엇이) ~하기 때문에, ~해서

❸ if+⁴[   ]+동사: (누가 또는 무엇이) ⁵[   ], ⁶[   ]

2 접속사 that

「¹[   ]+주어+동사」의 형태로 문장에서 명사처럼 주어, ²[   ], 보어의 역할을 한다.
이때 that은 명사 역할을 하는 절을 연결해 주는 접속사이다.

Check Up 그림을 보고, 알맞은 말을 찾아 다음 대화의 빈칸에 쓰세요. 중복해서 사용할 수 있어요.

because   that   if

REVIEW TEST 04

1 다음 중 시간의 의미를 더해 주는 접속사가 <u>아닌</u> 것을 고르세요.

❶ when　　❷ before　　❸ that　　❹ after　　❺ while

[2-4] 다음 문장의 빈칸에 알맞은 말을 고르세요.

2

_____ the phone rang, I was sleeping. 전화가 왔을 때, 나는 자고 있었다.

❶ When　　❷ Before　　❸ If　　❹ That　　❺ After

3

_____ you don't hurry, you will be late. 너는 서두르지 않으면, 늦을 것이다.

❶ While　　❷ If　　❸ Because　　❹ Before　　❺ That

4

_____ we jump here is dangerous. 우리가 여기에서 점프하는 것은 위험하다.

❶ After　　❷ When　　❸ If　　❹ Because　　❺ That

[5-6] 다음 문장의 빈칸에 알맞은 말이 순서대로 바르게 짝지어진 것을 고르세요.

5

- _____ he was studying, his legs shook. 그는 공부하는 동안, 다리를 떨었다.
- _____ winter comes, they have to hunt. 겨울이 오기 전에, 그들은 사냥을 해야 한다.

❶ Because – If　　❷ That – Before　　❸ When – Because

❹ While – Before　　❺ When – After

6

- _____ she is busy, she can't help you. 그녀는 바빠서, 너를 도와줄 수 없다.
- _____ I arrived, it started to rain. 내가 도착한 후에, 비가 오기 시작했다.

❶ Before - Because   ❷ Because - While   ❸ If - Before

❹ While - That   ❺ Because - After

[7-8] 다음 문장에서 밑줄 친 부분의 우리말 뜻으로 알맞은 것을 고르세요.

7

<u>If you tell a lie</u>, your mom will be sad.

❶ 네가 거짓말을 하는 것은   ❷ 네가 거짓말을 하면

❸ 네가 거짓말을 하는 동안   ❹ 네가 거짓말을 한 후에

❺ 네가 거짓말을 하기 때문에

8

<u>That he is honest</u> is true.

❶ 그가 정직하다는 것은   ❷ 그가 정직하다면

❸ 그가 정직하기 때문에   ❹ 그가 정직할 때

❺ 그가 정직하기 전에

9 다음 중 밑줄 친 부분이 <u>잘못된</u> 문장을 고르세요.

❶ <u>When</u> I was shopping at the mall, I met my friend.

❷ <u>Before</u> you go out, turn off the light.

❸ He thinks <u>while</u> she is a great skater.

❹ <u>Because</u> Chris is kind, he is popular.

❺ The problem is <u>that</u> he didn't study hard.

[10-11] 다음 밑줄 친 부분을 영어로 바르게 옮긴 것을 고르세요.

10

> 네가 설거지를 하는 동안, I will clean the window.

❶ Before you wash the dishes   ❷ Because you wash the dishes

❸ After you wash the dishes   ❹ That you wash the dishes

❺ While you are washing the dishes

11

> 그녀가 그 영화를 보면, she will not be able to sleep.

❶ When she watches the film   ❷ Because she watches the film

❸ That she watches the film   ❹ If she watches the film

❺ Before she watches the film

[12-13] 다음 빈칸에 공통으로 알맞은 말을 고르세요.

12

> • **A:** _____ is your birthday?   **B:** It is February 17th.
> • _____ he saw Ann, she was with her dog.

❶ If   ❷ When   ❸ While   ❹ That   ❺ Because

13

> • He was looking for _____ ball then.
> • We heard _____ Mr. Watson lived in London.

❶ after   ❷ that   ❸ when   ❹ if   ❺ because

[14 – 15] 다음 우리말 뜻과 같도록 괄호 안에서 알맞은 말을 고르세요.

14

> 그는 테니스를 친 후에, 물 한 병을 마셨다.

➡ (After / If) he played tennis, he drank a bottle of water.

15

> 그녀는 이가 아파서, 치과에 갔다.

➡ Because (had she / she had) a toothache, she went to the dentist.

[16 – 20] 다음 우리말 뜻과 같도록 주어진 말을 사용하여 문장을 완성하세요.

16 우리가 도서관에 있을 때, 불이 나갔다. (were)

➡ _____ _____ _____ at the library, the lights went out.

17 그녀는 저녁 식사를 하기 전에, 숙제를 끝냈다. (had)

➡ _____ _____ _____ dinner, she finished her homework.

18 너는 다리를 다쳤기 때문에, 축구를 하지 않는 것이 좋겠다. (hurt)

➡ _____ _____ _____ your leg, you should not play soccer.

19 내일 눈이 내리면, 눈사람을 만들자. (snows)

➡ _____ _____ _____ tomorrow, let's make a snowman.

20 나는 네가 시험에 합격하기를 바란다. (will pass)

➡ I hope _____ _____ _____ _____ the exam.

FINAL TEST 01

1 다음 동사를 「be동사+과거분사」로 바꿔 쓸 때 잘못된 것을 고르세요.

❶ make ➡ be made   ❷ steal ➡ be stole   ❸ know ➡ be known

❹ send ➡ be sent   ❺ give ➡ be given

[2-3] 다음 문장에서 밑줄 친 부분의 우리말 뜻이 잘못된 것을 고르세요.

2 ❶ His story got boring. (지루해졌다)

❷ The spaghetti went bad. (상했다)

❸ Her plan sounded interesting. (재미있다)

❹ The medicine tasted bitter. (쓴맛이 났다)

❺ You look like a teacher. (선생님처럼 보인다)

3 ❶ We called him Leo. (그를 레오라고)

❷ I will keep the milk warm. (우유를 따뜻하게)

❸ He wanted me to paint the fence. (내가 그 울타리를 페인트칠하기를)

❹ She had him get up early. (그가 일찍 일어나게)

❺ They heard a dog bark at night. (개를 짖게)

[4-5] 다음 문장의 빈칸에 알맞은 말을 고르세요.

4

> The picture _____ in China.

❶ was taken   ❷ was taking   ❸ has taken

❹ took   ❺ takes

5

> Ms. Martin bought the blue cap _____ me.

❶ to   ❷ of   ❸ by   ❹ for   ❺ in

[6-7] 다음 문장의 빈칸에 공통으로 알맞은 말을 고르세요.

6

> • I _____ him some cookies. 나는 그에게 과자를 조금 만들어 주었다.
>
> • He _____ Kate eat the vegetables. 그는 케이트가 그 채소를 먹게 만들었다.

❶ wanted   ❷ made   ❸ gave   ❹ had   ❺ saw

7

> • They always play soccer _____ school. 그들은 항상 방과 후에 축구를 한다.
>
> • _____ she brushes her teeth, she goes to bed.
> 그녀는 이를 닦은 후에, 잠자리에 든다.

❶ after[After]   ❷ while[While]   ❸ at[At]

❹ that[That]   ❺ because[Because]

[8-9] 다음 문장의 빈칸에 알맞은 말이 순서대로 바르게 짝지어진 것을 고르세요.

8

> • She told Jim _____ the door. 그녀는 짐에게 문을 잠그라고 말했다.
>
> • He will let you _____ his bike. 그는 네가 자기 자전거를 타게 해 줄 것이다.

❶ lock - ride   ❷ lock - to ride   ❸ to lock - ride

❹ to lock - to ride   ❺ locking - riding

9

- The apple pie smells _____. 그 사과 파이는 달콤한 냄새가 난다.
- My puppy sometimes makes me _____. 우리 강아지는 가끔 나를 화나게 한다.

❶ sweet – angrily   ❷ sweetly – angry   ❸ sweetly – upset

❹ sweet – angry   ❺ sweetly – angrily

[10–11] 다음 주어진 말이 들어갈 위치로 알맞은 것을 고르세요.

10   me   ❶ Cindy ❷ showed ❸ her report card ❹ yesterday ❺.
신디는 어제 내게 자기 성적표를 보여 주었다.

11   because   ❶ Bill ❷ was sick, ❸ he ❹ came home early ❺.
빌은 아파서, 일찍 집에 왔다.

[12–13] 다음 문장의 밑줄 친 부분을 바르게 고친 것을 고르세요.

12

Those boxes <u>carried</u> by them.

❶ carry   ❷ will carry   ❸ have carried

❹ were carried   ❺ were carrying

13

I saw her <u>to throw</u> the ball.

❶ throw   ❷ threw   ❸ thrown

❹ to threw   ❺ throws

[14-15] 다음 밑줄 친 우리말을 영어로 바르게 옮긴 것을 고르세요.

14

> The Hangang <u>여기에서 보인다</u>.

❶ sees from here ❷ is seeing from here ❸ is seen from here

❹ was seeing from here ❺ has seen from here

15

> He thinks <u>네가 똑똑하다고</u>.

❶ if you are smart ❷ when you are smart ❸ before you are smart

❹ because you are smart ❺ that you are smart

[16-20] 주어진 말을 바르게 배열하여 문장을 완성하세요.

16 (gave / she / a book / me / .)

➡ _____

그녀는 내게 책 한 권을 주었다.

17 (asked / my sister / to help her / me / .)

➡ _____

내 여동생은 내게 자기를 도와 달라고 부탁했다.

18 (felt / I / touch my leg / something / .)

➡ _____

나는 무엇인가 내 다리를 만지는 것을 느꼈다.

19 (by Bell / invented / the telephone / was / .)

➡ _____

전화는 벨에 의해 발명되었다.

20 (was cooking / he / while / rang / the phone / , / .)

➡ _____

그가 요리하고 있는 동안, 전화가 울렸다.

FINAL TEST 02

[1-2] 다음 중 영어와 우리말 뜻이 <u>잘못</u> 짝지어진 것을 고르세요.

1 ❶ get bored – 지루해지다   ❷ go blind – 눈이 안 보이게 되다

    ❸ turn red – 붉어지다   ❹ smell terrible – 끔찍해 보이다

    ❺ feel soft – 부드럽게 느껴지다

2 ❶ while – ～하는 동안, ～하면서   ❷ before – ～한 후에

    ❸ if – ～하면, ～한다면   ❹ when – ～할 때

    ❺ because – ～해서, ～하기 때문에

[3-4] 다음 문장의 빈칸에 알맞은 말을 고르세요.

3

> I _____ him a Christmas card. 나는 그에게 크리스마스카드를 보냈다.

❶ sent   ❷ wanted   ❸ went   ❹ thought   ❺ sounded

4

> You _____ like a movie star. 너는 영화배우처럼 보인다.

❶ are   ❷ become   ❸ look   ❹ sounds   ❺ ask

[5-6] 다음 문장의 빈칸에 알맞은 말이 순서대로 짝지어진 것을 고르세요.

5

> • She _____ the box empty. 그녀는 그 상자가 비어 있다는 것을 알았다.
> • They wanted me _____ the piano. 그들은 내가 피아노를 치기를 원했다.

❶ found – play   ❷ knew – play   ❸ called – to play

❹ found – playing   ❺ found – to play

6

> • _____ he has dinner, he plays chess. 그는 저녁 식사를 한 후, 체스를 둔다.
> • I believe _____ she is right. 나는 그녀가 옳다고 믿는다.

❶ Before – that   ❷ If – that   ❸ After – that

❹ Before – if   ❺ That – after

[7 – 8] 다음 문장의 빈칸에 공통으로 알맞은 말을 고르세요.

7

> • Ms. Bell teaches math _____ us. 벨 선생님은 우리에게 수학을 가르쳐 주신다.
> • She told me _____ leave early. 그녀는 내게 일찍 출발하라고 말했다.

❶ of   ❷ to   ❸ for   ❹ by   ❺ in

8

> • _____ is your birthday? 네 생일은 언제니?
> • _____ we went out, it was raining. 우리가 외출했을 때, 비가 오고 있었다.

❶ Because   ❷ If   ❸ While   ❹ When   ❺ What

[9 – 10] 다음 주어진 말이 들어갈 위치로 알맞은 것을 고르세요.

9

by

❶ The ❷ house ❸ was ❹ built ❺ them.
그 집은 그들에 의해 지어졌다.

10

are

❶ Lots of cars ❷ made ❸ in ❹ that factory ❺.
많은 자동차들이 저 공장에서 만들어진다.

FINAL TEST 02

[11-12] 다음 중 밑줄 친 부분이 잘못된 문장을 고르세요.

11 ❶ She cooked breakfast <u>for</u> us.

❷ I won't tell the secret <u>to</u> David.

❸ He made a kite <u>for</u> my brother.

❹ You asked her phone number <u>of</u> me.

❺ Julie showed her report card <u>for</u> him.

12 ❶ They made me <u>to wait</u> for hours.

❷ My father let me <u>go</u> to the concert.

❸ She had the man <u>fix</u> her computer.

❹ I often hear her <u>play</u> the violin.

❺ Mr. Black watched him <u>swim</u>.

13 다음 문장에서 밑줄 친 부분의 우리말 뜻으로 알맞은 것을 고르세요.

> If it snows tomorrow, he will go skiing.

❶ 내일 눈이 오기 때문에   ❷ 내일 눈이 오는 것을   ❸ 내일 눈이 오면

❹ 내일 눈이 오기 전에   ❺ 내일 눈이 올 때

14 다음 밑줄 친 부분을 영어로 바르게 옮긴 것을 고르세요.

> <u>내가 도서관에서 공부하고 있는 동안</u>, the lights went out.

❶ If I was studying at the library   ❷ After I was studying at the library

❸ That I was studying at the library   ❹ While I was studying at the library

❺ Because I was studying at the library

15 다음 문장을 수동태로 바르게 고친 것을 고르세요.

> She broke the windows.

❶ The windows are broken by she.

❷ The windows were broken by she.

❸ The windows are broken by her.

❹ The windows were broken by her.

❺ The windows were broke by her.

[16-20] 다음 우리말 뜻과 같도록 주어진 말을 사용하여 문장을 완성하세요.

16 브라이언은 항상 자기 부모님을 행복하게 만든다. (make, happy)

➡ Brian always _____ _____ _____ _____.

17 그는 내가 잔디를 깎게 했다. (have, cut)

➡ He _____ _____ _____ the grass.

18 나는 네가 내 이름을 부르는 것을 들었다. (hear, call)

➡ I _____ _____ _____ my name.

19 그 도둑은 경찰에 의해 잡혔다. (catch, the police)

➡ The thief _____ _____ _____ _____ _____.

20 그녀는 캐나다에 살았기 때문에, 영어를 잘 말한다. (because, live)

➡ _____ _____ _____ in Canada, she speaks English well.

동사의 불규칙 변화형

동사원형	과거형	과거분사형	동사원형	과거형	과거분사형
be ~이다	was/were	been	become ~이 되다	became	become
begin 시작하다	began	begun	blow 불다	blew	blown
break 깨다, 부수다	broke	broken	bring 가져오다	brought	brought
build 짓다, 건설하다	built	built	buy 사다	bought	bought
catch 잡다, 받다	caught	caught	choose 고르다	chose	chosen
come 오다	came	come	cut 베다, 자르다	cut	cut
do 하다	did	done	draw 그리다	drew	drawn
drink 마시다	drank	drunk	drive 운전하다	drove	driven
eat 먹다	ate	eaten	fall 떨어지다	fell	fallen
feed 먹이다	fed	fed	feel 느끼다	felt	felt
fight 싸우다	fought	fought	find 찾다	found	found
fit 맞다	fit	fit	fly 날다	flew	flown
forget 잊다	forgot	forgotten	get 얻다, 받다	got	got/gotten
give 주다	gave	given	go 가다	went	gone
grow 자라다	grew	grown	have 가지다	had	had
hear 듣다	heard	heard	hide 감추다, 숨기다	hid	hidden
hit 때리다	hit	hit	hold 잡고 있다, 붙들다	held	held
hurt 다치게 하다	hurt	hurt	keep 유지하다	kept	kept
know 알다, 알고 있다	knew	known	lead 안내하다	led	led
leave 떠나다	left	left	lend 빌려 주다	lent	lent
lie 눕다	lay	lain	lose 잃어버리다, 지다	lost	lost
make 만들다	made	made	meet 만나다	met	met
pay 지불하다	paid	paid	put 놓다	put	put
quit 그만두다	quit	quit	read 읽다	read	read
ride 타다	rode	ridden	ring 전화하다	rang	rung
run 달리다	ran	run	say 말하다	said	said
see 보다	saw	seen	sell 팔다	sold	sold
send 보내다	sent	sent	set 놓다	set	set
shake 흔들다	shook	shaken	shoot 쏘다	shot	shot
shut 닫다	shut	shut	sing 노래하다	sang	sung
sit 앉다	sat	sat	sleep 자다	slept	slept
speak 말하다	spoke	spoken	stand 서다	stood	stood
steal 훔치다	stole	stolen	sweep 쓸다	swept	swept
swim 수영하다	swam	swum	take 가져가다	took	taken
teach 가르치다	taught	taught	tear 찢다	tore	torn
tell 말하다	told	told	think 생각하다	thought	thought
throw 던지다	threw	thrown	understand 이해하다	understood	understood
wake (잠에서) 깨다	woke	woken	wear 입다	wore	worn
win 이기다	won	won	write 쓰다	wrote	written

Grammar, ZAP!

VOCABULARY
단어장

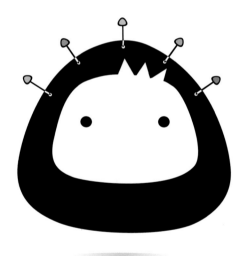

CHUNJAE EDUCATION, INC.

심화 **4**

Grammar, ZAP!

ANSWER KEY

심화 **4**

CHUNJAE EDUCATION, INC.

Grammar, ZAP!

ANSWER KEY

심화 **4**

🎵01 여러 가지 동사 (1)

01 주격 보어가 필요한 동사 (1)

만화 해석　　　　　　　　　　　　10쪽

잭: 나는 위대한 가수가 되었어. 나는 인기가 있어.

Grammar Walk!　　　　　11쪽

A 1 Cathy is [my best friend].
　　2 The class is [interesting].
　　3 He became [an engineer].
　　4 I became [tired].
　　5 It is getting [cold].
　　6 The students grew [quiet].
　　7 The trees turned [brown].
　　8 The milk will go [bad] in three days.

B 1 b.　　　2 f.　　　3 d.
　　4 a.　　　5 c.　　　6 e.

해설 A 1 캐시는 내 가장 친한 친구이다.
　　　　2 그 수업은 재미있다.
　　　　3 그는 엔지니어가 되었다.
　　　　4 나는 피곤해졌다.
　　　　5 날씨가 추워지고 있다.
　　　　6 그 학생들은 조용해졌다.
　　　　7 그 나무들은 갈색으로 변했다.
　　　　8 그 우유는 3일 후에 상할 것이다.

02 주격 보어가 필요한 동사 (2)

만화 해석　　　　　　　　　　　　12쪽

스노위: 너는 오늘 멋있어 보여. 넌 호랑이처럼 보여.
잭: 늦었다.

Grammar Walk!　　　　　13쪽

A 1 슬퍼 보이다　　　　2 신이 나 보이다
　　3 속상해[화나] 보이다　4 아파 보이다
　　5 바빠 보이다　　　　6 아름답게 들리다
　　7 재미있게 들리다　　8 쉽게 들리다
　　9 이상하게 들리다　　10 지루하게 들리다
　　11 달콤한 냄새가 나다　12 맛있는 냄새가 나다

13 상쾌한 냄새가 나다　　14 지독한 냄새가 나다
15 나쁜 냄새가 나다　　　16 매운맛이 나다
17 좋은 맛이 나다　　　　18 쓴맛이 나다
19 짠맛이 나다　　　　　20 신맛이 나다
21 춥게 느끼다　　　　　22 졸음이 오다
23 부드럽게 느끼다　　　24 피로를 느끼다
25 따뜻하게 느끼다　　　26 행복하게 느끼다
27 그의 아버지와 닮다[그의 아버지처럼 생기다]
28 피아노 소리처럼 들리다

Grammar Run!　　　　　14~15쪽

A 1 pretty　　　2 right　　　3 exciting
　　4 angry　　　5 strong　　6 bald
　　7 red　　　　8 dark　　　9 sad
　　10 beautiful　11 sweet　　12 delicious
　　13 cold　　　14 a teacher　15 thunder

B 1 short　　　　　2 a famous violinist
　　3 popular　　　　4 an astronaut
　　5 blind　　　　　6 pale
　　7 taller　　　　　8 handsome
　　9 true　　　　　10 good
　　11 bitter　　　　12 hungry
　　13 a doctor　　　14 rain

해설 A 1 오늘 그 여자아이들은 예쁘다.
　　　　2 네 대답이 맞았다.
　　　　3 그 여행은 신이 났다.
　　　　4 그 남자는 화가 났다.
　　　　5 그 학생들은 힘이 세진다.
　　　　6 그 남자는 머리가 벗겨졌다.
　　　　7 그의 얼굴이 빨개졌다.
　　　　8 하늘이 어두워졌다.
　　　　9 그들은 오늘 슬퍼 보인다.
　　　　10 저 노래는 아름답게 들린다.
　　　　11 그 파이는 달콤한 냄새가 난다.
　　　　12 그 피자는 맛있다.
　　　　13 나는 춥다.
　　　　14 그녀는 선생님처럼 보인다.
　　　　15 그것은 천둥소리처럼 들린다.

　　B taller 키가 더 큰, short (길이·거리가) 짧은, bitter
　　　맛이 쓴, pale 창백한, handsome 잘생긴,
　　　hungry 배고픈, an astronaut 우주 비행사,
　　　blind 눈이 먼, rain 비, 빗물, a famous violinist

유명한 바이올리니스트, good 좋은, popular 인기
있는, a doctor 의사, true 사실인, 참인

Grammar Jump! 16~17쪽

A
1 무척 훌륭했다
2 우리 할아버지이시다
3 인기가 있어졌다
4 좋은 의사가 될 것이다
5 어두워졌다
6 귀가 들리지 않게 되었다
7 희끗희끗해졌다
8 나이가 들어갔다
9 행복해 보였다
10 좋은 것처럼 들린다[좋은 것 같다]
11 이상한 냄새가 난다
12 맛이 있다
13 졸렸다
14 인형처럼 생겼다
15 고양이처럼 들렸다

B
1 was my math teacher
2 are too big
3 became brave
4 became friends
5 got colder
6 went bald
7 turned red
8 grows taller
9 looks clear
10 sounded soft
11 smells fresh
12 tastes salty
13 felt thirsty
14 looks like an actor
15 sounds like guitars

Grammar Fly! 18~19쪽

A
1 The train is very slow.
2 The exam became easy.
3 The milk went bad.
4 The weather turned cold.
5 Jane grew angry.
6 They looked sad today.
7 The music sounds cheerful.
8 The cake smells sweet.
9 The oranges tasted sour.
10 Matt felt sleepy.
11 This flower looks like a rose.
12 It sounds like a bad dream.

B
1 He was a great inventor.
2 We were hungry.
3 Jennifer will become a good skater.
4 The match is getting exciting.
5 The old tiger went blind.
6 Her face turned red.
7 He looked tired.

8 His plan sounds very interesting.
9 These lilies smell very sweet.
10 The coffee tastes bitter.
11 I felt really happy.
12 It looked like a huge lion.

해설 **A** 1 그 기차는 매우 느리다.
2 그 시험은 쉬워졌다.
3 그 우유는 상했다.
4 날씨가 추워졌다.
5 제인은 화가 났다.
6 그들은 오늘 슬퍼 보였다.
7 그 음악은 경쾌하게 들린다.
8 그 케이크는 달콤한 냄새가 난다.
9 그 오렌지들은 신맛이 났다.
10 맷은 졸렸다.
11 이 꽃은 장미처럼 보인다.
12 그것은 나쁜 꿈처럼 들린다.

Grammar & Writing 20~21쪽

A
1 becomes warm
2 get longer
3 turn green
4 becomes cool
5 get shorter
6 turn red and yellow

B
1 feels soft
2 look pretty
3 sounds exciting
4 smell good
5 tastes sour

해설 **A** 1 (~해지다, 따뜻한)
봄에 날씨가 따뜻해진다.
2 (되다, 더 긴)
봄에 낮이 더 길어진다.
3 (~해지다, 녹색[초록빛]의)
봄에 나뭇잎이 초록색으로 변한다.
4 (~해지다, 시원한)
가을에 날씨가 시원해진다.
5 (되다, 더 짧은)
가을에 낮이 더 짧아진다.
6 (~해지다, 빨갛고 노란)
가을에 나뭇잎이 빨갛고 노랗게 변한다.

B **1** A: 그 빨간색 목도리는 어떠니?

　　 B: 그 빨간색 목도리는 부드럽게 느껴진다.

2 A: 그 머리핀들은 어떠니?

　　 B: 그 머리핀들은 예뻐 보인다.

3 A: 그 음악은 어떠니?

　　 B: 그 음악은 신 나게 들린다.

4 A: 그 팬케이크들은 어떠니?

　　 B: 그 팬케이크들은 냄새가 좋다.

5 A: 그 레모네이드는 어떠니?

　　 B: 그 레모네이드는 신맛이 난다.

UNIT TEST 〜 01
22~26쪽

1 ❸	2 ❷	3 ❶	4 ❹
5 ❺	6 ❸	7 ❶	8 ❸
9 ❸	10 ❷	11 ❸	12 ❷
13 ❺	14 ❶	15 ❸	16 sleepy

17 cold　18 became popular

19 looks like her mother

20 went blind　　21 was　　22 dark

23 tastes　24 pale　25 sounds

해설

1 get은 뒤에 형용사(dark)가 오면 '〜해지다', '〜하게 되다'라는 뜻이다. 그러므로 ❸의 got dark는 '어두웠다'가 아니라 '어두워졌다'가 알맞다.

❶ 마크는 어제 행복했다.

❷ 그녀는 우주 비행사가 되었다.

❸ 하늘이 어두워졌다.

❹ 날씨가 더워졌다.

❺ 그의 코가 빨개졌다.

2 sound는 뒤에 형용사(sad)가 오면 '〜하게 들리다'라는 뜻이다. 그러므로 ❷의 sounds sad는 '슬프다'가 아니라 '슬프게 들린다'가 알맞다.

❶ 그 강아지는 아파 보인다.

❷ 그의 노래는 슬프게 들린다.

❸ 그 포도 주스는 신맛이 난다.

❹ 그 수건은 좋은 냄새가 난다.

❺ 그 쿠션은 부드럽게 느껴진다[촉감이 부드럽다].

3 grow는 뒤에 형용사(fat)가 오면 '〜해지다', '〜하게 되다'라는 뜻이다.

❶ 〜해졌다, 〜하게 되었다　❷ 〜하게 보였다

❸ 〜이었다, 〜했다　　❹ 〜한 냄새가 났다

❺ 〜하게 들렸다

4 sound는 뒤에 형용사(interesting)가 오면 '〜하게 들리다'라는 뜻이다.

❶ 〜이다, 〜하다　　　❷ 〜이 되다, 〜해지다

❸ 〜해지다, 〜하게 되다　❹ 〜하게 들리다

❺ 〜한 느낌이 들다

5 turn은 뒤에 형용사구(red and yellow)가 오면 '〜해지다' '〜하게 되다'라는 뜻이다.

❶ 〜이다, 〜하다　　　❷ 〜하게 보이다

❸ 〜한 냄새가 나다　　❹ 〜한 느낌이 들다

❺ 〜해지다, 〜하게 되다

6 feel은 뒤에 형용사(tired)가 오면 '〜한 느낌이 들다'라는 뜻이다.

❶ 〜이 되다, 〜해지다　❷ 〜하게 보이다

❸ 〜한 느낌이 들다　　❹ 〜한 맛이 나다

❺ 〜해지다, 〜하게 되다

7 grow, go, get은 '〜해지다', '〜하게 되다', feel은 '〜한 느낌이 들다'라는 뜻으로 주격 보어로 형용사만 쓰지만 become은 '〜해지다', '〜이 되다'라는 뜻으로 형용사와 명사를 쓸 수 있다.

• 그녀의 노래는 매우 인기가 많아졌다.

• 사라는 우주 비행사가 되었다.

❶ 〜해졌다, 〜이 되었다　❷ 〜해졌다, 〜하게 되었다

❸ 〜해졌다, 〜하게 되었다　❹ 〜해졌다, 〜하게 되었다

❺ 〜한 느낌이 들었다

8 「sound like+명사(구)」는 '〜처럼 들리다', 「look like+명사(구)」는 '〜처럼 보이다'라는 뜻이므로 빈칸에 공통으로 알맞은 말은 like이다.

• 그것은 빗소리처럼 들린다.

• 그 여자아이는 아기처럼 생겼다.

❶ 〜에 ❷ 〜를 위해 ❸ 〜처럼 ❹ 〜 옆에 ❺ 그것

9 look은 뒤에 형용사(sad)가 오면 '〜하게 보이다'라는 뜻이다.

• 그녀는 슬퍼 보인다.

❶ 슬프다

10 taste는 뒤에 형용사(sweet)가 오면 '〜한 맛이 나다'라는 뜻이다.

• 그 파이는 달콤한 맛이 난다.

❶ 달콤한 냄새가 나다　　❸ 달콤한 느낌이 들다

❹ 달콤해지다　　　　　　❺ 달콤하게 들리다

11 go는 뒤에 형용사(bad)가 오면 '〜해지다', '〜하게 되다'라는 뜻이다.

• 그 음식은 며칠 후에 상할 것이다.

❷ 미칠 것이다　　　　　❹ 갈 것이다

❺ 머리가 벗겨질 것이다

12 look은 '〜하게 보이다'라는 뜻으로 뒤에 명사(구)를 쓰려면 「look like+명사(구)」가 되어야 한다. 그러므로 ❷의 looks a fashion model은 looks like a fashion model로 바뀌어야 한다.

❶ 제인은 작가가 되었다.

❷ She looks like a fashion model. 그녀는 패션모델처럼 보인다.

❸ 그 남자가 우리 선생님이시다.

❹ 그 이야기는 사실처럼 들린다.

❺ 그는 유명해질 것이다.

13 smell은 '〜한 냄새가 나다'라는 뜻으로 뒤에 형용사(구)를 써

야 한다. 그러므로 ❺의 smells nicely는 smells nice로 바꾸어야 한다.

❶ 이것은 이상하게 들린다.　　❷ 그는 목이 마르다.
❸ 그들은 바빠 보인다.　　❹ 저것은 매우 맛있다.
❺ That smells nice. 저것은 좋은 냄새가 난다.

14 감각동사인 taste, feel은 뒤에 형용사를 써서 주어의 상태를 설명해 준다.
　• 그 약은 쓴맛이 났다.
　• 나는 오늘 기분이 좋다.
❶ 맛이 쓴 – 좋은　　❷ 소금이 든, 짠 – 슬프게
❸ 시게 – 행복한　　❹ 양념 맛이 강한 – 행복하게
❺ 달게 – 좋은

15 get, grow, turn, go 등은 뒤에 형용사가 와서 '~해지다', '~하게 되다'라는 뜻으로 주어의 감정이나 상태의 변화를 설명해 준다. 형용사로 짝지어진 것은 ❸이다.
　• 그 아이들은 매일 키가 더 크고 있다.
　• 그 나뭇잎들은 가을에 노랗게 변한다.
❶ 학생들 – 과일　　❷ 키가 더 큰 – 과일
❸ 키가 더 큰 – 노란색의　　❹ 학생들 – 노란색의
❺ 키가 큰 – 달콤하게

16 감각동사(feel)는 주격 보어로 뒤에 형용사를 쓴다.
17 become은 뒤에 형용사(cold)가 오면 '~해지다'라는 뜻이다.
18 become은 뒤에 형용사(popular)가 오면 '~해지다'라는 뜻이다. 과거 시제이므로 become의 과거형인 became이 알맞다.
19 look은 「like+명사(구)(her mother)」와 함께 쓰여 '~처럼 보이다', '~와 닮다'라는 뜻이다. 주어(Mary)가 3인칭 단수이고, 현재 시제이므로 동사원형에 -s를 붙인 looks가 알맞다.
20 go는 뒤에 형용사(blind)가 오면 '~해지다', '~하게 되다'라는 뜻이다. 과거 시제이므로 go의 과거형인 went가 알맞다.
21 be동사는 뒤에 명사구(her best friend)가 오면 '~이다'라는 뜻이다. 주어(Kevin)가 3인칭 단수이고, 과거 시제이므로 was가 알맞다.
22 get은 뒤에 형용사(dark)가 오면 '~하게 되다', '~해지다'라는 의미이다.
23 taste는 뒤에 형용사(sour)가 오면 '~한 맛이 나다'라는 뜻이다. 주어(The grape juice)가 3인칭 단수이고, 현재 시제이므로 동사원형에 -s를 붙인 tastes가 알맞다.
24 turn은 뒤에 형용사(pale)가 오면 '~해지다', '~하게 되다'라는 뜻이다.
25 sound는 뒤에 형용사(boring)가 오면 '~하게 들리다'라는 뜻이다. 주어(Her story)가 3인칭 단수이고, 현재 시제이므로 동사원형에 -s를 붙인 sounds가 알맞다.

Wrap Up　　27쪽

1　1 명사(구)　　2 형용사(구)　　3 형용사(구)
2　1 형용사(구)　　2 like

Check Up
hungry, smells, happy, looks

Unit 02 여러 가지 동사 (2)

01 목적어가 두 개 필요한 동사

Grammar Walk!　　31쪽

A　1 She cooked [me] breakfast.
　2 My father bought [me] a new computer.
　3 She sent [Brian] e-mail.
　4 Mrs. Black taught [us] English.
　5 I won't tell [David] the secret.
　6 He brought [Angela] her bike.
　7 She asked [her teacher] many questions.
　8 Cindy showed [me] her report card.
　9 You passed [Jimmy] the towel.
　10 His mother gave [Andrew] some water.
　11 Mr. Nelson read [his grandson] an exciting story.
　12 I wrote [my mother] a birthday card.
　13 They sold [us] their fruit.
　14 I made [my brother] a kite.
　15 She lent [Thomas] her book.

해설　A　1 그녀는 내게 아침 식사를 요리해 주었다.
　2 우리 아버지는 내게 새 컴퓨터를 사 주셨다.
　3 그녀는 브라이언에게 이메일을 보냈다.
　4 블랙 선생님은 우리에게 영어를 가르쳐 주셨다.
　5 나는 데이비드에게 그 비밀을 말해 주지 않을 것이다.
　6 그는 앤절라에게 그녀의 자전거를 가져다주었다.
　7 그녀는 자기 선생님에게 질문을 많이 했다.
　8 신디는 내게 자기 성적표를 보여 주었다.
　9 너는 지미에게 그 수건을 건네주었다.

10 그의 어머니는 앤드루에게 물을 조금 주셨다.

11 넬슨 씨는 자기 손자에게 신 나는 이야기를 읽어
   주셨다.

12 나는 우리 어머니에게 생일 카드를 썼다.

13 그들은 우리에게 자신들의 과일을 팔았다.

14 나는 내 남동생에게 연을 만들어 주었다.

15 그녀는 토머스에게 자신의 책을 빌려 주었다.

7 나는 우리 부모님에게 편지를 썼다.

8 그는 다이앤에게 풍선을 가져다주었다.

9 애덤은 자기 아버지에게 스웨터를 구해 드렸다.

10 나는 우리 어머니에게 꽃 몇 송이를 사 드렸다.

11 그녀는 자기 가족에게 저녁 식사를 요리해 주었다.

12 스노우 씨는 자기 딸에게 야구 모자를 찾아 주었다.

13 나는 네게 샐러드를 만들어 주었다.

14 우리는 도서관 사서에게 제목을 물어보았다.

15 그들은 그 선수에게 몇 가지 질문을 했다.

02 수여동사가 있는 문장 바꿔 쓰기

만화 해석   32쪽

블래키: 너는 그 과자를 어디에서 얻었니?

스노위: 잭이 이것을 내게 줬어.

스노위: 너는 그 과자를 어디에서 얻었니?

블래키: 서니가 이것을 내게 만들어 줬어.

Grammar Walk!   33쪽

A 1 Clara [gave] a bone to her dog.

2 Paul [passed] the newspaper to his father.

3 My grandfather [sent] the soccer shoes
   to me.

4 The boy [showed] his hands to his mom.

5 Ms. Jason [teaches] English to us.

6 The old lady [told] the ghost story to them.

7 I [wrote] a letter to my parents.

8 He [brought] a balloon to Diane.

9 Adam [got] a sweater for his father.

10 I [bought] some flowers for my mother.

11 She [cooked] dinner for her family.

12 Mr. Snow [found] the baseball cap for
   his daughter.

13 I [made] a salad for you.

14 We [asked] the title of the librarian.

15 They [asked] some questions of the
   player.

해설   **A** 1 클라라는 자기 개에게 뼈다귀를 주었다.

2 폴은 자기 아버지에게 그 신문을 건네 드렸다.

3 우리 할아버지는 내게 축구화를 보내 주셨다.

4 그 남자아이는 자기 엄마에게 손을 보여 드렸다.

5 제이슨 선생님이 우리에게 영어를 가르쳐 주신다.

6 그 노부인은 그들에게 유령 이야기를 말씀해 주셨다.

Grammar Run!   34~35쪽

A 1 him   2 me   3 him

4 Jane my address   5 the kids a fairy tale

6 our parents coffee 7 a postcard to us

8 French to them   9 a map for me

10 to Fred   11 to her

12 for us   13 for my father

14 of me   15 cat toys for our cat

B 1 showed   2 tell   3 brought

4 bought   5 made   6 asked

7 to   8 to   9 to

10 for   11 for   12 of

해설   **A** 1 숙녀 한 분이 그에게 음식을 조금 주었다.

2 수전은 내게 그 공을 건네주었다.

3 그들은 그에게 새 스케이트보드를 사 주었다.

4 나는 제인에게 내 주소를 말해 주었다.

5 그는 그 아이들에게 동화를 읽어 줄 것이다.

6 우리는 우리 부모님에게 커피를 만들어 드렸다.

7 내 사촌이 우리에게 엽서를 보냈다.

8 그의 삼촌이 그들에게 프랑스 어를 가르쳐 주었다.

9 브래드가 내게 지도를 찾아 주었다.

10 네가 프레드에게 네 야구 카드를 주었다.

11 그녀에게 그 상자를 가져다주어라.

12 데이비스 씨가 우리에게 인도 음식을 요리해 주셨다.

13 나는 우리 아버지에게 넥타이를 사 드렸다.

14 앤드루가 내게 네 이름을 물어보았다.

15 우리 아버지가 우리 고양이에게 고양이 장난감을
   만들어 주셨다.

B bought 사 주었다, tell 말하다, brought 가져다
   주었다, asked 물어보았다, for ~에게, made

만들어 주었다, to ~에게, of ~에게, showed 보여 주었다

Grammar Jump! 36~37쪽

A
1 pass me the salt
2 read us a poem
3 lent them his basketball
4 gave my mother some roses
5 showed Sarah her iguana
6 teaches us English
7 bought his son a bike
8 cooks us dinner
9 found her the old painting
10 made my brother a kite
11 got them the tickets
12 asked me your phone number

B
1 wrote, to Grandma
2 gave, to his brother
3 passed, to Betty
4 told, to us
5 taught, to them
6 read, to my sister
7 sent, to him
8 showed, to me
9 bought, for my sister
10 made, for the child
11 cooked, for his family
12 got, for the poor cat
13 found, for Neo
14 asked, of Anna

Grammar Fly! 38~39쪽

A
1 Jack passed the plate to me.
2 I sent a birthday present to my cousin.
3 My little sister gave bubble gum to me.
4 Jeremy showed his hamster to us.
5 Tom Sawyer told a lie to his aunt.
6 Ms. Forest read a ghost story to them.
7 She cooked Indian food for us.
8 My brother bought a toy car for Amy.
9 Amanda made a comfortable bed for her cat.

10 He got an old Korean coin for my grandpa.
11 My puppy found my old socks for me.
12 The police asked Mr. Cook's address of us.

B
1 John passed her the ticket.
2 My brother brought me an umbrella.
3 A clown gave us the balloons.
4 I bought my father a tie.
5 She will make them cookies.
6 Peter asked her your name.
7 She told the surprising news to Jim.
8 Kate's grandpa showed the old photos to her.
9 Mr. Kim teaches math to us.
10 Evan's mom cooked spaghetti for them.
11 The bear got some food for its cub.
12 My teacher asked a question of me.

해설 A
1 잭은 내게 그 접시를 건네주었다.
2 나는 내 사촌에게 생일 선물을 보냈다.
3 내 여동생은 내게 풍선껌을 주었다.
4 제러미는 우리에게 자기 햄스터를 보여 주었다.
5 톰 소여는 자기 이모에게 거짓말을 했다.
6 포리스트 씨가 그들에게 유령 이야기를 읽어 주었다.
7 그녀는 우리에게 인도 음식을 요리해 주었다.
8 내 남동생이 에이미에게 장난감 차를 사 주었다.
9 어맨다가 자기 고양이에게 편안한 침대를 만들어 주었다.
10 그는 우리 할아버지에게 옛날 한국 동전을 구해 드렸다.
11 우리 강아지가 내게 내 오래된 양말을 찾아다 주었다.
12 경찰이 우리에게 쿡 씨의 주소를 물어보았다.

Grammar & Writing 40~41쪽

A
1 gave Peter a bike
2 gave Peter a watch
3 gave Peter a backpack
4 gave Peter a toy car
5 gave Peter a yo-yo
6 gave Peter a top

B
1 brought Dad a newspaper
2 made Mom a sandwich

3 sent Grandma e-mail
4 bought Ben ice cream
5 found Janet her cap
6 got Phil a new baseball card

해설 **A 1** (자전거)
아빠가 생일 선물로 피터에게 자전거를 주셨다.

2 (손목시계)
엄마가 생일 선물로 피터에게 손목시계를 주셨다.

3 (배낭)
피터의 조부모님이 생일 선물로 피터에게 배낭을 주셨다.

4 (장난감 차)
샘이 생일 선물로 피터에게 장난감 차를 주었다.

5 (요요)
다이앤이 생일 선물로 피터에게 요요를 주었다.

6 (팽이)
마이크가 생일 선물로 피터에게 팽이를 주었다.

B Dad 아빠, a newspaper 신문, ice cream 아이스크림, Mom 엄마, a sandwich 샌드위치, her cap 그녀의 모자, Grandma 할머니, e-mail 이메일, a new baseball card 새 야구 카드

1 A: 에이미가 아빠를 위해 무엇을 했니?
B: 그녀는 아빠에게 신문을 가져다 드렸다.
(가져다주었다)

2 A: 에이미가 엄마를 위해 무엇을 했니?
B: 그녀는 엄마에게 샌드위치를 만들어 드렸다.
(만들어 주었다)

3 A: 에이미가 할머니를 위해 무엇을 했니?
B: 그녀는 할머니에게 이메일을 보내 드렸다.
(보냈다)

4 A: 에이미가 벤을 위해 무엇을 했니?
B: 그녀는 벤에게 아이스크림을 사 주었다.
(사 주었다)

5 A: 에이미가 재닛을 위해 무엇을 했니?
B: 그녀는 재닛에게 그녀의 모자를 찾아 주었다.
(찾아 주었다)

6 A: 에이미가 필을 위해 무엇을 했니?
B: 그녀는 필에게 새 야구 카드를 구해 주었다.
(구해 주었다)

UNIT TEST ·· 02

42~46쪽

1 ④	2 ⑤	3 ②	4 ①
5 ②	6 ④	7 ①	8 ⑤
9 ③	10 ④	11 ④	12 ⑤
13 ③	14 ②	15 ③	16 ⑤
17 ②	18 ④	19 to her	
20 for him		21 of Jenny	

22 She showed us her iguana. / She showed her iguana to us.
23 He wrote his friend a letter. / He wrote a letter to his friend.
24 You bought me ice cream. / You bought ice cream for me.
25 We asked him his name. / We asked his name of him.

해설

1 lend는 '~에게 …을 빌려 주다'라는 의미이다.
2 send는 '~에게 …을 보내다'라는 의미이다.
3 수여동사가 있는 문장은 「수여동사(told)+간접목적어(us)+직접목적어(the secret)」의 순서로 쓴다. 이때 간접목적어가 인칭대명사인 경우 목적격(us)을 쓴다.
• 그는 우리에게 그 비밀을 말해 주었다.
4 수여동사 make는 직접목적어(some cookies)가 동사 뒤에 오는 경우, 간접목적어(you) 앞에 전치사 for를 쓴다.
• 그녀는 과자 몇 개를 네게 만들어 주었다.
5 수여동사가 있는 문장은 「수여동사+간접목적어+직접목적어」의 순서로 쓴다. me는 간접목적어, his iguana는 직접목적어이므로 me의 위치는 showed 뒤가 알맞다.
6 수여동사 ask 뒤에 직접목적어(a question)가 오는 경우, 간접목적어(me) 앞에 전치사 of를 쓴다.
7 수여동사가 있는 문장에서 간접목적어로 인칭대명사를 쓰는 경우 목적격이 와야 하므로 주격인 ①의 we는 쓸 수 없다.
• 수는 _____에게 자기 지우개를 주었다.
8 간접목적어(me)와 직접목적어(a coat)가 함께 오는 동사는 수여동사이므로 '원했다'라는 뜻인 ⑤의 wanted는 쓸 수 없다.
• 우리 할머니는 내게 외투를 _____.
❶ 사 주었다 ❷ 가져다주었다 ❸ 보내 주었다
❹ 주었다 ❺ 원했다
9 「수여동사+직접목적어+전치사+간접목적어」의 순서로 오는 경우, write와 sell은 간접목적어 앞에 to를 쓴다.
• 나는 우리 어머니에게 카드를 썼다.
• 그들은 우리에게 자신들의 과일을 팔았다.
10 「수여동사+직접목적어+전치사+간접목적어」의 순서로 오는 경우, cook과 buy는 간접목적어 앞에 for를 쓴다.
• 그는 자기 가족에게 저녁 식사를 요리해 주었다.
• 아빠는 엄마에게 꽃 몇 송이를 사 주셨다.

11 수여동사가 있는 문장은 「수여동사(sent)+간접목적어(me)+직접목적어(e-mail)」의 순서로 쓴다. 인칭대명사가 간접목적어인 경우 목적격이 온다.
- 그녀는 내게 이메일을 보냈다.

12 수여동사가 있는 문장은 「수여동사+직접목적어+전치사+간접목적어」의 순서로도 쓰는데, find의 경우 간접목적어 앞에 for를 쓴다.
- 라이트 씨는 그녀에게 그녀의 강아지를 찾아 주었다.

13 수여동사가 있는 문장은 「수여동사(read)+간접목적어(us)+직접목적어(a storybook)」의 순서로 쓴다.
- 우리 어머니는 잠자리에 들기 전에 우리에게 이야기책을 읽어 주셨다.

14 수여동사 get이 있는 문장은 「수여동사+직접목적어+전치사+간접목적어」의 순서로 쓸 때, 간접목적어 앞에 for를 쓴다.
- 에바는 그들에게 그 입장권을 구해 주었다.

15 수여동사가 있는 문장은 「수여동사+간접목적어+직접목적어」 또는 「수여동사+직접목적어+전치사+간접목적어」의 순서로 쓴다.
- ❶ 너는 그에게 네 장난감 차를 주었다.
- ❷ 그녀는 내게 그 공을 건네주었다.
- ❸ He bought Jane a shirt. / He bought a shirt for Jane. 그는 제인에게 셔츠를 사 주었다.
- ❹ 나는 그녀에게 연을 만들어 주었다.
- ❺ 아빠는 내게 그녀의 이름을 물어보셨다.

16 수여동사 ask는 「수여동사+직접목적어+전치사+간접목적어」 순서로 쓸 때, 간접목적어 앞에 of를 쓴다.
- ❶ 빌은 내게 자신의 새 운동화를 보여 주었다.
- ❷ 스톤 선생님은 우리에게 영어를 가르쳐 주셨다.
- ❸ 그는 그들에게 인도 음식을 요리해 주었다.
- ❹ 존의 여동생은 그에게 그의 양말을 찾아 주었다.
- ❺ She asked my phone number of him. 그녀는 그에게 내 전화번호를 물어보았다.

17 수여동사 give는 간접목적어를 직접목적어 뒤에 쓸 때, 간접목적어 앞에 to를 쓴다.
- 그는 자기 개에게 뼈다귀를 주었다.

18 수여동사 make는 간접목적어를 직접목적어 뒤에 쓸 때, 간접목적어 앞에 for를 쓴다.
- 그녀는 자기 고양이에게 편안한 침대를 만들어 주었다.

19 수여동사 send는 간접목적어를 직접목적어 뒤에 쓸 때, 간접목적어 앞에 to를 쓴다.
- 그녀에게 생일 카드를 보내자.

20 수여동사 buy는 간접목적어를 직접목적어 뒤에 쓸 때, 간접목적어 앞에 for를 쓴다.
- 벤의 이모는 그에게 새 축구화를 사 주셨다.

21 수여동사 ask는 간접목적어를 직접목적어 뒤에 쓸 때, 간접목적어 앞에 of를 쓴다.
- 나는 제니에게 그의 이메일 주소를 물어보았다.

22 수여동사가 있는 문장은 「수여동사+간접목적어+직접목적어」 또는 「수여동사+직접목적어+전치사+간접목적어」의 순서로 쓴다. 간접목적어가 인칭대명사인 경우 목적격(us)을 쓰고, 간접목적어를 직접목적어 뒤에 쓸 때 수여동사 show는 간접목적어 앞에 to를 쓴다.

23 수여동사가 있는 문장은 「수여동사+간접목적어+직접목적어」 또는 「수여동사+직접목적어+전치사+간접목적어」의 순서로 쓴다. 간접목적어를 직접목적어 뒤에 쓸 때, 수여동사 write는 간접목적어 앞에 to를 쓴다.

24 수여동사가 있는 문장은 「수여동사+간접목적어+직접목적어」 또는 「수여동사+직접목적어+전치사+간접목적어」의 순서로 쓴다. 간접목적어가 인칭대명사인 경우 목적격(me)을 쓰고, 간접목적어를 직접목적어 뒤에 쓸 때 수여동사 buy는 간접목적어 앞에 for를 쓴다.

25 수여동사가 있는 문장은 「수여동사+간접목적어+직접목적어」 또는 「수여동사+직접목적어+전치사+간접목적어」의 순서로 쓴다. 간접목적어가 인칭대명사인 경우 목적격(him)을 쓰고, 간접목적어를 직접목적어 뒤에 쓸 때 수여동사 ask는 간접목적어 앞에 of를 쓴다.

Wrap Up
47쪽

1 1 간접목적어   2 직접목적어   3 간접목적어
  4 직접목적어

2 1 to   2 for   3 of

Check Up
me, the book, to, for

만화 해석
서니: 내게 물 좀 가져다줄래?
서니: 내게 그 책을 건네주겠니?
서니: 내게 그 과자를 주겠니?
서니: 내게 내 전화를 찾아 주겠니?

Review Test ·· 01
48~51쪽

1 ❶   2 ❸   3 ❹   4 ❸
5 ❷   6 ❸   7 ❺   8 ❷
9 ❹   10 salty   11 me a kite
12 ❸   13 ❶   14 ❹   15 ❺
16 He went blind.   17 It tastes sour.
18 I wrote Peter a letter. / I wrote a letter to Peter.   19 She cooked us spaghetti. / She cooked spaghetti for us.
20 They asked me your phone number. / They asked your phone number of me.

해설

1 become은 뒤에 명사(구)가 오면 '~이 되다'라는 뜻이다.

❶ ~이 되었다, ~해졌다 　❷ ~하게 보였다
❸ ~해졌다, ~하게 되었다 　❹ ~에게 …을[를] 주었다
❺ ~해졌다, ~하게 되었다

2 「look like+명사(구)」는 '~처럼 보이다', '~와 닮다'라는 뜻이다.
　❶ ~이다, ~하다 ❷ ~이 되다, ~해지다 ❸ ~하게 보이다
　❹ ~하게 들리다 ❺ ~에게 …을[를] 묻다

3 간접목적어(us)와 직접목적어(the picture)를 필요로 하는 동사는 수여동사 showed이다.
　❶ ~해졌다, ~하게 되었다 　❷ ~해졌다, ~하게 되었다
　❸ ~하게 보였다 　　　　　❹ ~에게 …을[를] 보여 주었다
　❺ ~였다, ~했다

4 get, grow 등은 뒤에 형용사가 오면 '~해지다', '~하게 되다'라는 뜻이다.
　• 밤이 더 길어졌다.
　❷ 밤이 더 길어 보였다.

5 수여동사가 있는 문장은 「수여동사+간접목적어+직접목적어」 또는 「수여동사+직접목적어+전치사+간접목적어」의 순서로 쓴다. 간접목적어가 직접목적어 뒤에 오면 수여동사 pass는 간접목적어 앞에 to를 쓴다.
　• 나는 짐에게 그 수건을 건네주었다.
　❹ 짐은 내게 그 수건을 건네주었다.

6 sound는 뒤에 형용사가 와서 '~하게 들리다'라는 뜻이므로, ❸에서 부사 strangely(이상하게)는 형용사 strange(이상한)가 되어야 한다.
　❶ 나는 배가 고파졌다.
　❷ 그 신발은 너무 크다.
　❸ The plan sounds strange. 그 계획은 이상하게 들린다.
　❹ 그녀는 그들에게 저녁 식사를 요리해 주었다.
　❺ 그들은 우리에게 신선한 채소를 팔았다.

7 수여동사인 ask가 있는 문장에서 간접목적어가 직접목적어 뒤에 오면 간접목적어 앞에 of를 쓴다. 그러므로 to John은 of John이 되어야 한다.
　❶ 이 우유는 상했다.
　❷ 그 방은 추워졌다.
　❸ 그녀는 의사처럼 보인다.
　❹ 그 파이는 좋은 냄새가 났다.
　❺ We asked some questions of John. 우리는 존에게 몇 가지 질문을 했다.

8 turn은 '~해지다', '~하게 되다'라는 뜻으로 뒤에 형용사(red)가 온다.
　• 그녀의 얼굴이 빨개졌다.

9 수여동사가 있는 문장은 「수여동사(bought)+간접목적어(me)+직접목적어(a soccer ball)」의 순서로 쓴다. 또는 간접목적어를 직접목적어 뒤에 쓸 수 있는데, 이때 수여동사 buy는 간접목적어 앞에 for를 쓴다.
　• 아빠가 내게 축구공을 사 주셨다.

10 taste는 '~한 맛이 나다'라는 뜻으로 뒤에 형용사가 온다.

11 수여동사가 있는 문장은 「수여동사(made)+간접목적어(me)+직접목적어(a kite)」의 순서로 쓴다.

12 become은 '~이 되다', '~해지다'라는 뜻으로 뒤에 명사

(구)나 형용사(구)가 온다. 따라서 부사인 ❸은 알맞지 않다.
　• 산드라는 _____가 되었다. / 산드라는 _____ 해졌다.
　❶ 선생님 ❷ 인기 있는 ❸ 조용하게 ❹ 키가 큰 ❺ 예쁜

13 수여동사가 있는 문장에서 「수여동사+직접목적어+전치사+간접목적어」의 순서로 쓸 때, buy는 간접목적어 앞에 for를 쓰고 send, give, show, pass는 to를 쓴다.
　• 나는 그에게 빨간색 스웨터를 _____.
　❶ 사 주었다 ❷ 보냈다 ❸ 주었다 ❹ 보여 주었다
　❺ 건네주었다

14 수여동사가 있는 문장은 「수여동사+간접목적어+직접목적어」의 순서로 쓴다. a cap은 직접목적어이므로 간접목적어인 him 뒤에 오는 것이 알맞다.

15 수여동사가 있는 문장에서 간접목적어가 직접목적어 뒤에 오면 간접목적어 앞에 전치사를 쓴다. tell, teach, read, give는 간접목적어 앞에 to를 쓰고, find는 for를 쓰므로 빈칸에 들어갈 말이 다른 문장은 ❺이다.
　❶ 그에게 그 비밀을 말하지 마라.
　❷ 페일리 선생님은 그들에게 영어를 가르쳐 주셨다.
　❸ 할머니는 우리에게 유령 이야기를 읽어 주셨다.
　❹ 그 광대는 그녀에게 장미를 주었다.
　❺ 그 남자는 내게 내 강아지를 찾아 주었다.

16 go는 뒤에 형용사(blind)가 오면 '~해지다', '~하게 되다'라는 뜻이다. 과거 시제이므로 go의 과거형인 went를 쓴다.

17 taste는 '~한 맛이 나다'라는 뜻으로 뒤에 형용사(sour)가 온다. 주어(It)가 3인칭 단수이고 현재 시제이므로 동사원형에 -s를 붙인 tastes를 쓴다.

18 수여동사가 있는 문장은 「수여동사+간접목적어+직접목적어」 또는 「수여동사+직접목적어+전치사+간접목적어」의 순서로 쓴다. 간접목적어가 직접목적어 뒤에 오면 수여동사 write는 간접목적어 앞에 전치사 to를 쓴다.

19 수여동사가 있는 문장은 「수여동사+간접목적어+직접목적어」 또는 「수여동사+직접목적어+전치사+간접목적어」의 순서로 쓴다. 간접목적어가 직접목적어 뒤에 오면 수여동사 cook은 간접목적어 앞에 전치사 for를 쓴다.

20 수여동사가 있는 문장은 「수여동사+간접목적어+직접목적어」 또는 「수여동사+직접목적어+전치사+간접목적어」의 순서로 쓴다. 간접목적어가 직접목적어 뒤에 오면 수여동사 ask는 간접목적어 앞에 전치사 of를 쓴다.

Unit 03 여러 가지 동사 (3)

01 목적어와 목적격 보어가 필요한 동사

만화 해석　　　　　　　　　　　54쪽

블래키: 서니는 항상 나를 행복하게 해.

블래키: 너는 항상 나를 화나게 해.

Grammar Walk!

55쪽

A 1 He made her a doctor.
2 They made their son a great musician.
3 Amber calls his fish Pluffy.
4 Everyone calls him a hero.
5 Mr. and Mrs. Baker called the baby Mark.
6 I thought him a kind boy.
7 Snowie often makes my mom angry.
8 Science makes our lives easier.
9 The food made me sick.
10 I found the book difficult.
11 She found the box heavy.
12 You will find the box empty.
13 We think him rude.
14 I will keep the milk warm.
15 You should keep the door open.

해설 **A** 1 그는 그녀를 의사로 만들었다.
2 그들은 자신들의 아들을 위대한 음악가로 만들었다.
3 앰버는 자기 물고기를 플러피라고 부른다.
4 모든 사람이 그를 영웅이라고 부른다.
5 베이커 씨 부부는 그 아기를 마크라고 불렀다.
6 나는 그가 친절한 남자아이라고 생각했다.
7 스노위는 자주 우리 엄마를 화나게 한다.
8 과학은 우리 생활을 더 편하게 해 준다.
9 그 음식은 나를 아프게 했다.
10 나는 그 책이 어렵다는 것을 알았다.
11 그녀는 그 상자가 무겁다는 것을 알았다.
12 너는 그 상자가 비어 있다는 것을 알게 될 것이다.
13 우리는 그가 무례하다고 생각한다.
14 나는 그 우유를 따뜻하게 유지할 것이다.
15 너는 그 문을 열어 두는 것이 좋겠다.

02 동사+목적어+to부정사

만화 해석

56쪽

엄마: 나는 네가 네 방을 청소하길 원해.
엄마: 내가 너한테 네 방 청소하라고 말했지.

Grammar Walk!

57쪽

A 1 I want you to make your bed.
2 He wants you to leave early.
3 My mother wants me to study hard.
4 He wanted his dog to catch the ball.
5 Ms. White wanted him to paint the fence.
6 She told the children to wash their hands.
7 The doctor told me to take medicine.
8 She told her daughter to lock the door.
9 The coach told the player to try again.
10 I will tell Clara to call you.
11 I asked my brother to help me.
12 She always asks John to be on time.
13 Bob asked me to come to his party.
14 The kid asked his mother to bring his umbrella.
15 Mary asked him to be quiet.

해설 **A** 1 나는 네가 네 잠자리를 정리하기를 원한다.
2 그는 네가 일찍 떠나기를 원한다.
3 우리 어머니는 내가 열심히 공부하기를 원하신다.
4 그는 자기 개가 그 공을 잡기를 원했다.
5 화이트 씨는 그가 울타리를 페인트칠하기를 원했다.
6 그녀는 그 아이들에게 손을 씻으라고 말했다.
7 그 의사는 내게 약을 먹으라고 말했다.
8 그녀는 자기 딸에게 문을 잠그라고 말했다.
9 그 코치는 그 선수에게 다시 한 번 해 보라고 말했다.
10 나는 클라라에게 네게 전화하라고 말할 것이다.
11 나는 우리 형에게 나를 도와 달라고 부탁했다.
12 그녀는 항상 존에게 정각에 오라고 부탁한다.
13 밥은 내게 자기 파티에 오라고 부탁했다.
14 그 아이는 어머니에게 자기 우산을 가져다 달라고 부탁했다.
15 메리는 그에게 조용히 해 달라고 부탁했다.

Grammar Run!

58~59쪽

A 1 made   2 make   3 made
4 call   5 called   6 thought
7 thinks   8 messy   9 happy
10 sad   11 easy   12 useful
13 comfortable   14 neat   15 clean

B 1 ❷   2 ❷   3 ❷   4 ❷
5 ❷   6 ❷   7 ❶   8 ❶
9 ❶   10 ❶   11 ❶   12 ❶

Grammar Jump!
60~61쪽

A
1 자기 아들을 위대한 발명가로
2 우리 엄마를 행복하게
3 우리를 놀라게
4 그를 프린스라고
5 그를 울보라고
6 그녀가 위대한 음악가라고
7 네가 용감한 남자아이라고
8 그 가방이 무겁다는 것을
9 자기 고양이가 젖어 있다는 것을
10 그 쿠션이 더럽다는 것을
11 물을 깨끗하게
12 음식을 신선하게

B
1 to be　　2 to buy　　3 to stay
4 to join　　5 to come　　6 to study
7 to leave　　8 to water　　9 to wait
10 to be　　11 to carry　　12 to help
13 to wipe　　14 to fix　　15 to send

Grammar Fly!
62~63쪽

A
1 a soccer player　　2 crazy
3 scared　　4 Snow White
5 Goodman　　6 a good skater
7 interesting　　8 empty
9 brave　　10 healthy
11 neat　　12 open

B
1 wants me to go　　2 want you to wash
3 wants me to send　　4 wanted you to win
5 told me to come　　6 told Sam to close
7 told you to answer　8 told me to clean
9 asked us to go
10 asked my sister to make
11 asks me to fix　　12 asked them to be

해설　**A** scared 무서워하는, 겁먹은, empty 비어 있는, 빈, interesting 재미있는, 흥미로운, healthy 건강한, brave 용감한, neat 정돈된, 깔끔한, open 열려 있는, crazy 미친 듯이 화가 난, a good skater 뛰어난 스케이트 선수, Goodman 굿맨, Snow White 백설 공주, a soccer player 축구 선수

Grammar & Writing
64~65쪽

A
1 made me angry　　2 made me happy
3 made me sad　　4 made me surprised
5 made me sleepy　　6 made me scared

B
1 want their children to get up early
2 want their children to have breakfast
3 want their children to exercise regularly
4 want their children to study hard
5 want their children to read lots of books
6 want their children to clean their rooms

해설　**A** 1 (화난)
우리 강아지가 나를 화나게 했다.
2 (행복한)
그 케이크가 나를 행복하게 했다.
3 (슬픈)
그 영화가 나를 슬프게 했다.
4 (놀란)
그 소식이 나를 놀라게 했다.
5 (졸린)
그 책이 나를 졸리게 했다.
6 (무서워하는, 겁먹은)
번개가 나를 겁먹게 했다.

해설　**B** What Do Parents Want Their Children to Do? 부모님들은 자신들의 아이들이 무엇을 하기를 원하는가? to get up early 일찍 일어나기, to have breakfast 아침 식사하기, to exercise regularly 규칙적으로 운동하기, to study hard 열심히 공부하기, to read lots of books 책 많이 읽기, to clean their rooms 자기 방 청소하기
1 스무 명의 부모님들이 자신들의 아이들이 일찍 일어나기를 원한다.
2 열두 명의 부모님들이 자신들의 아이들이 아침 식사를 하기를 원한다.
3 열 명의 부모님들이 자신들의 아이들이 규칙적으로 운동하기를 원한다.
4 여덟 명의 부모님들이 자신들의 아이들이 열심히 공부하기를 원한다.
5 여섯 명의 부모님들이 자신들의 아이들이 책을 많이 읽기를 원한다.
6 네 명의 부모님들이 자신들의 아이들이 자기 방을 청소하기를 원한다.

1 ❷	2 ❶	3 ❸	4 ❺
5 ❸	6 ❹	7 ❸	8 ❸
9 ❶	10 ❷	11 comfortable	
12 to wash		13 ❶	14 ❸
15 ❷	16 ❹	17 ❺	18 ❹
19 happy		20 to catch	

21 I found the book easy.
22 We think him a good teacher.
23 They made her a famous scientist.
24 She asked me to open the door.
25 He told me to go to bed early.

해설

1 find는 '…가 ~하다는 것을 알다'라는 뜻으로 목적어 뒤에 목적격 보어로 형용사(구)를 쓰는 동사이다. 이때 목적격 보어로 쓰이는 형용사(interesting)는 목적어(the book)의 성질이나 상태 등을 보충 설명해 주므로 ❷는 '그 책이 재미있다는 것을'이라는 뜻이 알맞다.
❶ 그는 자기 개를 맥스라고 부른다.
❷ 그들은 그 책이 재미있다는 것을 알았다.
❸ 그는 내가 숙제를 끝내기를 원했다.
❹ 잭은 그녀에게 서두르라고 말했다.
❺ 나는 그에게 나를 기다려 달라고 부탁했다.

2 make는 '…를 ~으로 만들다'라는 뜻으로 목적어 뒤에 목적격 보어로 명사(구)를 쓰는 동사이다. 이때 목적격 보어(a swimmer)로 쓰이는 명사는 목적어(her daughter)의 신분 등을 보충 설명해 주므로 ❶은 '자기 딸을 수영 선수로'라는 뜻이 알맞다.
❶ 그녀는 자기 딸을 수영 선수로 만들었다.
❷ 그 스웨터는 너를 따뜻하게 해 줄 것이다.
❸ 나는 네가 일찍 떠나기를 원한다.
❹ 그 코치는 그녀에게 다시 해 보라고 말했다.
❺ 밥은 내게 자기 파티에 와 달라고 부탁했다.

3 think는 '…가 ~하다고 생각하다'라는 뜻으로 「think+목적어+목적격 보어」로 쓴다. a handsome boy는 목적어를 설명해 주는 목적격 보어이므로 빈칸에는 목적어인 him이 알맞다.
• 나는 그가 잘생긴 남자아이라고 생각한다.

4 make는 '…를 ~하게 하다'라는 뜻으로 「make+목적어+목적격 보어」로 쓴다. 목적격 보어로 형용사를 써야 하므로 ❺가 알맞다. ❶~❹는 모두 부사이다.
• 그 음악은 나를 행복하게 한다.
❶ 슬프게 ❷ 조용히 ❸ 쉽게 ❹ 행복하게 ❺ 행복한

5 call은 '…를 ~라고 부르다'라는 뜻으로 「call+목적어+목적격 보어」로 쓴다. a crybaby가 목적격 보어이므로 목적어인 him의 위치는 ❸이 알맞다.

6 tell은 '(목적어)에게 ~하라고 말하다'라는 뜻으로 「tell+목적어+to부정사」로 쓴다. 따라서 to의 위치는 목적어 me 뒤인 ❹가 알맞다.

7 목적격 보어로 명사구(a sandwich)와 형용사(scared)를 쓸 수 있는 동사는 make이다.
• 그는 내게 샌드위치를 만들어 주었다.
• 번개는 우리를 겁먹게 했다.
❶ …에게 ~을 사 주었다
❷ …을 ~라고 불렀다
❸ …에게 ~을 만들어 주었다, …을 ~하게 했다
❹ …에게 ~하라고 말했다
❺ …가 ~하기를 원했다

8 want와 ask는 목적격 보어로 to부정사를 쓰는 동사이다.
• 나는 그녀가 내 우산을 가져오기를 원했다.
• 그녀는 내게 6시에 오라고 부탁했다.

9 keep은 '…가 ~하게 유지하다'라는 뜻으로 「keep+목적어+목적격 보어」로 쓴다. 목적어는 네 손톱(your nails)이고 목적격 보어는 형용사(neat)를 사용해야 하므로 ❶이 알맞다.
• 너는 네 손톱을 단정하게 유지하는 것이 좋겠다.

10 want는 '(목적어)가 ~하기를 원하다'라는 뜻으로 「want+목적어+to부정사」로 쓴다. 그러므로 wanted 뒤에 목적어(you)와 to부정사(to win)가 쓰인 ❷가 알맞다.
• 우리는 네가 이기기를 원했다.

11 find는 '…가 ~하다는 것을 알다'라는 뜻으로 「find+목적어+목적격 보어」로 쓴다. 목적어는 the sofa이고 목적격 보어는 형용사를 사용해야 하므로 comfortable이 알맞다.
• 우리는 그 소파가 편안하다는 것을 알았다.

12 tell은 '(목적어)에게 ~하라고 말하다'라는 뜻으로 「tell+목적어+목적격 보어」로 쓴다. 이때 목적격 보어는 to부정사가 와야 하므로 wash가 아니라 to wash가 알맞다.
• 그녀는 내게 손을 씻으라고 말했다.

13 make는 '…를 ~하게 만들다'라는 뜻으로 목적격 보어로 형용사를 쓰는 동사이므로 ❶의 angrily는 형용사인 angry로 써야 알맞다.
❶ My dog sometimes makes me angry. 우리 개는 가끔 나를 화나게 한다.
❷ 나는 그가 위대한 스케이트 선수라고 생각했다.
❸ 너는 그 책이 어렵다는 것을 알게 될 것이다.
❹ 사람들은 그녀를 백설 공주라고 불렀다.
❺ 그녀는 창문을 열어 두었다.

14 ask는 '(목적어)에게 ~해 달라고 부탁[요구/요청]하다'라는 뜻으로 목적격 보어로 to부정사를 쓰는 동사이다. 따라서 ❸의 be quiet는 to be quiet로 써야 알맞다.
❶ 그는 내게 약을 먹으라고 말했다.
❷ 그녀는 네가 일찍 오기를 원한다.
❸ The librarian asked us to be quiet. 사서가 우리에게 조용히 해 달라고 부탁했다.
❹ 그는 자기 아들을 위대한 음악가로 만들었다.
❺ 우리는 물을 깨끗하게 유지해야 한다.

15 find는 '…가 ~하다는 것을 알다'라는 뜻으로 목적격 보어로 형용사를 쓰는 동사이다. 따라서 목적어 the bag 뒤에 부사

인 ❷는 알맞지 않다.

• 나는 그 가방이 _____ 하다는 것을 알았다.

❶ 빈, 비어 있는 ❷ 심하게 ❸ 더러운
❹ 비싼, 돈이 많이 드는 ❺ 낡은, 오래된

16 want는 '…가 ~하기를 원하다'라는 뜻으로 목적격 보어로
to부정사를 쓰는 동사이다. 따라서 목적어 Andrew 뒤에
「동사원형+ing」형인 ❹는 알맞지 않다.

• 그들은 앤드루가 _____ 하기를 원했다.

❶ 자기들 동아리에 가입하기를 ❷ 그들과 함께 머물기를
❸ 행복하기를 ❹ 아침 식사를 하기를

17 첫 번째 문장의 call은 '…를 ~로 부르다'라는 뜻으로 「call+
목적어+목적격 보어」로 쓴다. 이때 목적격 보어는 명사를 쓴
다. 두 번째 문장의 tell은 '…에게 ~하라고 말하다'라는 뜻으로
「tell+목적어+목적격 보어」로 쓴다. 이때 목적격 보어는 to 부
정사를 쓴다. 그러므로 목적격 보어로 명사와 to부정사가 짝지
어진 ❺가 알맞다.

18 첫 번째 문장의 keep은 '…가 ~하게 유지하다'라는 뜻으로
「keep+목적어+목적격 보어」로 쓴다. 이때 목적격 보어는
형용사를 쓴다. 두 번째 문장의 ask는 '…에게 ~해 달라고
부탁하다'라는 뜻으로 「ask+목적어+목적격 보어」로 쓴다.
이때 목적격 보어는 to부정사를 쓴다. 그러므로 목적격 보어
로 형용사와 to부정사가 짝지어진 ❹가 알맞다.

19 make는 '…를 ~하게 만들다'라는 뜻으로 목적어(his
mom) 뒤에 목적격 보어로 형용사를 쓴다. 따라서 부사인
happily는 형용사인 happy로 고쳐 써야 한다.

• He always makes his mom happy. 그는 항상 자기
엄마를 행복하게 해 드린다.

20 tell은 '(목적어)에게 ~하라고 말하다'라는 뜻으로 목적어(his
dog) 뒤에 목적격 보어로 to부정사를 쓰는 동사이다. 따라서
catching은 to catch로 고쳐 써야 한다.

• Max told his dog to catch the ball. 맥스는 자기 개
에게 그 공을 잡으라고 말했다.

21 find는 '…가 ~하다는 것을 알다'라는 뜻으로 「find+목적어
+목적격 보어(형용사)」로 쓴다. 과거 시제이므로 find의 과거
형 found 뒤에 목적어 the book, 목적격 보어 easy를 쓴다.

22 think는 '…가 ~하다고 생각하다'라는 뜻으로 「think+목적
어+목적격 보어(명사구)」로 쓴다. think 뒤에 목적어 him,
목적격 보어 a good teacher를 쓴다.

23 make는 '…를 ~으로 만들다'라는 뜻으로 「make+목적어
+목적격 보어(명사구)」로 쓴다. 과거 시제이므로 make의
과거형 made 뒤에 목적어 her, 목적격 보어 a famous
scientist를 쓴다.

24 ask는 '(목적어)에게 ~해 달라고 부탁[요구/요청]하다'라는
뜻으로 「ask+목적어+목적격 보어(to부정사)」 순으로 쓴다.
과거 시제이므로 ask의 과거형 asked 뒤에 목적어 me, 목
적격 보어 to open the door를 쓴다.

25 tell은 '(목적어)에게 ~하라고 말하다'라는 뜻으로 「tell+목적
어+목적격 보어(to부정사)」로 쓴다. 과거 시제이므로 tell의 과
거형 told 뒤에 목적어 me, 목적격 보어 to go to bed early
를 쓴다.

Wrap Up
71쪽

1 1 목적격 보어 2 명사(구) 3 형용사(구)
2 1 to부정사 2 말하다 3 ask

Check Up

angry, Prince, to eat, dirty

만화 해석

스노위: 나를 화나게 하지 마.
블래키: 너는 멋져 보이는구나. 내가 너를 프린스라고 부를게.
블래키: 내가 과자 좀 먹어도 될까?
스노위: 물론이지. 나는 네가 먹기를 원해.
엄마: 네가 이 카펫을 더럽게 했구나.

🐳04 여러 가지 동사 (4)

01 사역동사+목적어+동사원형

만화 해석
74쪽

블래키: 그는 항상 내가 점프하게 만든다.
블래키: 그녀는 항상 내가 쉽게 해 준다.

Grammar Walk!
75쪽

A 1 They [made] me wait for hours.
2 My uncle [makes] the dog sit down.
3 The coach [made] him jump again.
4 Fred sometimes [makes] his sister cry.
5 The baby always [makes] them smile.
6 I will [let] you use my ruler.
7 My father [let] me go out.
8 He [lets] me leave early.
9 The parents [let] their children watch TV.
10 I will [let] you see my pictures.
11 She [had] the man fix her computer.
12 My mom [had] me clean my room.
13 She [had] Beth answer the phone.
14 I will [have] her call you.
15 Her parents [had] her study hard.

해설 A 1 그들은 내가 몇 시간 동안이나 기다리게 만들었다.
2 우리 삼촌은 그 개가 앉게 만드신다.
3 그 코치는 그가 다시 점프하게 만들었다.

4 프레드는 가끔 자기 여동생을 울게 만든다.

5 그 아기는 항상 그들이 웃게 만든다.

6 나는 네가 내 자를 사용하게 해 줄 것이다.

7 우리 아버지는 내가 외출하게 해 주셨다.

8 그는 내가 일찍 떠나게 해 준다.

9 그 부모님은 자기 아이들이 TV를 보게 해 준다.

10 나는 네가 내 그림들을 보게 해 줄 것이다.

11 그녀는 그 남자가 그녀의 컴퓨터를 고치게 했다.

12 우리 엄마는 내가 내 방을 청소하게 하셨다.

13 그녀는 베스가 그 전화를 받게 했다.

14 나는 그녀가 네게 전화하게 할 것이다.

15 그녀의 부모님은 그녀가 열심히 공부하게 했다.

---

02 지각동사+목적어+동사원형

만화 해석   76쪽

잭: 나는 매일 아침 스노위가 짖는 소리를 듣는다.

잭: 나는 매일 아침 엄마가 스노위에게 먹이 주시는 것을 본다.

Grammar Walk!   77쪽

A **1** I saw her go to the library.

2 I saw them dance on TV.

3 I watched my father fix the chair.

4 Mr. Black watched Tim swim.

5 We saw the cat chase a mouse.

6 She heard someone come in.

7 I often hear the girl play the violin.

8 Kevin heard them talk about you.

9 You won't hear her sing again.

10 They heard someone cry.

11 I felt someone stand behind me.

12 She felt the train move.

13 He felt the wind blow.

14 We felt the window shake.

15 I feel the water flow.

해설 **A** **1** 나는 그녀가 도서관에 가는 것을 보았다.

2 나는 그들이 춤추는 것을 TV에서 보았다.

3 나는 우리 아버지가 의자를 고치시는 것을 지켜보았다.

4 블랙 씨는 팀이 수영하는 것을 지켜보았다.

5 우리는 그 고양이가 쥐를 쫓는 것을 보았다.

6 그녀는 누군가 들어오는 것을 들었다.

---

7 나는 그 여자아이가 바이올린을 켜는 것을 자주 듣는다.

8 케빈은 그들이 너에 관해서 이야기하는 것을 들었다.

9 너는 그녀가 노래하는 것을 다시 듣지 못할 것이다.

10 그들은 누군가 우는 소리를 들었다.

11 나는 누군가 내 뒤에 서 있는 것을 느꼈다.

12 그녀는 기차가 움직이는 것을 느꼈다.

13 그는 바람이 부는 것을 느꼈다.

14 우리는 창문이 흔들리는 것을 느꼈다.

15 나는 물이 흐르는 것을 느낀다.

Grammar Run!   78~79쪽

A					
1	play	**2**	go	**3**	ride
4	do	**5**	eat	**6**	water
7	close	**8**	wait	**9**	take off
10	enter	**11**	bark	**12**	play
13	shout	**14**	lick	**15**	move

B					
1	get up	**2**	eat	**3**	read
4	practice	**5**	clean	**6**	cut
7	break	**8**	run	**9**	fly
10	play	**11**	stop	**12**	cry
13	ring	**14**	touch	**15**	follow

해설 **A** **1** 그는 에이미가 그의 장난감을 갖고 놀게 해 주었다.

2 우리 부모님은 내가 늦게 잠자리에 들게 해 주시지 않을 것이다.

3 나는 내 남동생이 내 자전거를 타게 해 주었다.

4 그녀는 톰이 숙제를 하게 만들었다.

5 그는 클라라가 채소를 먹게 만든다.

6 스노우 씨는 우리가 식물에 물을 주게 했다.

7 그 선생님은 학생들이 책을 덮게 했다.

8 그는 베키가 버스를 기다리는 것을 보았다.

9 우리는 그 비행기가 이륙하는 것을 지켜보았다.

10 나는 잭이 그 건물에 들어가는 것을 보았다.

11 나는 어젯밤 개 한 마리가 짖는 소리를 들었다.

12 우리는 빌이 기타 치는 소리를 들었다.

13 그는 누군가 소리치는 것을 들었다.

14 나는 우리 고양이가 내 뺨을 핥는 것을 느꼈다.

15 그녀는 그 의자가 움직이는 것을 느꼈다.

Grammar Jump!

80~81쪽

A 1 내 친구들을 초대하게 해 주셨다
2 그의 공을 갖고 놀게 해 준다
3 아침 식사를 하게 만드신다
4 그 노란색 모자를 쓰게 만들었다
5 그 개를 산책시키게 하신다
6 그녀의 자동차를 수리하게 했다
7 그 고양이에게 먹이를 주는 것을 보았다
8 농구를 하는 것을 보았다
9 위층으로 뛰어 올라가는 것을 지켜보았다
10 크게 웃는 소리를 들었다
11 그에게 이야기하는 것을 들었다
12 흔들리는 것을 느꼈다

B 1 watch 2 use 3 get up
4 leave 5 wash 6 clear
7 eat 8 dance 9 cook
10 ride 11 play 12 knock
13 touch

해설 **B** knock 두드리다, 노크하다, watch 지켜보다, eat 먹다, dance 춤을 추다, use 쓰다, 사용하다, touch 만지다, get up 일어나다, cook 요리하다, leave 떠나다, wash 씻다, play 놀다, 연주하다, clear 치우다, ride 타다

Grammar Fly!

82~83쪽

A 1 let, use 2 let, go
3 made, stay 4 make, cry
5 made, clean 6 had, wash
7 had, pick 8 saw, go
9 saw, fly 10 watched, rise
11 watches, eat 12 heard, shout
13 heard, sing 14 felt, blow
15 felt, fall

B 1 let us jump 2 let Tom use
3 makes him keep
4 makes his cat exercise
5 has me read 6 had Betty close
7 saw a girl climb 8 saw an apple fall
9 watched her throw
10 watched him swim
11 watches Bill play 12 heard you call

13 heard her open 14 felt the bus move
15 felt her cat lick

Grammar & Writing

84~85쪽

A 1 saw a monkey eat bananas
2 saw a polar bear swim
3 saw dolphins jump
4 saw a lion sleep
5 saw an elephant carry a soccer ball
6 saw a hippo yawn

B 1 had Dad fix the door
2 had Annie clean the table
3 had Mom mop the floor
4 had Bill clean the window
5 had Susie wash the dishes
6 had Grandpa take out the garbage

해설 **A** 1 (원숭이, 바나나를 먹다)
잭은 원숭이가 바나나를 먹는 것을 보았다.
2 (북극곰, 헤엄치다)
잭은 북극곰이 헤엄치는 것을 보았다.
3 (돌고래들, 점프하다)
잭은 돌고래들이 점프하는 것을 보았다.
4 (사자, 잠자다)
잭은 사자가 잠자는 것을 보았다.
5 (코끼리, 축구공을 나르다)
잭은 코끼리가 축구공을 나르는 것을 보았다.
6 (하마, 하품하다)
잭은 하마가 하품하는 것을 보았다.

B 1 (문을 고치다)
할머니는 아빠가 문을 고치시게 하셨다.
2 (탁자를 청소하다)
할머니는 애니가 탁자를 청소하게 하셨다.
3 (바닥을 대걸레질하다)
할머니는 엄마가 바닥을 대걸레질하시게 하셨다.
4 (창문을 닦다)
할머니는 빌이 창문을 닦게 하셨다.
5 (설거지를 하다)
할머니는 수지가 설거지를 하게 하셨다.
6 (쓰레기를 밖에 내놓다)
할머니는 할아버지가 쓰레기를 밖에 내놓으시게 하셨다.

1 ❷   2 ❸   3 ❹   4 ❶

5 ❺   6 ❷   7 ❷   8 ❹

9 ❹   10 ❺   11 ❸   12 ❶

13 fix   14 heard   15 ❷   16 ❶

17 ❷   18 ❶   19 us close

20 me swim

21 He made his dog jump again.

22 My mom had me clean the toilet.

23 We saw her run a marathon.

24 I heard you knock on the door.

25 She felt a desk shake.

해설

1 「사역동사/지각동사+목적어+동사원형」에서 동사원형은 목적격 보어로, 목적어가 하는 행동을 나타낸다. 따라서 밑줄 친 목적어와 동사원형은 '(목적어)가 ~하게' 또는 '(목적어)가 ~하는 것을'로 해석하면 된다. ❷는 「사역동사+목적어+동사원형」의 형태이므로 밑줄 친 me use의 우리말 뜻은 '내가 사용하게'가 알맞다.
❶ 그는 우리가 웃게 만든다.
❷ 톰은 내가 자기 컴퓨터를 사용하게 해 준다.
❸ 엄마는 그가 일찍 일어나게 하셨다.
❹ 나는 네가 춤추는 것을 보았다.
❺ 그들은 그녀가 노래하는 것을 들었다.

2 ❸은 「지각동사+목적어+동사원형」의 형태이므로 밑줄 친 my house shake의 우리말 뜻은 '우리 집이 흔들리는 것을'이 알맞다.
❶ 너는 책이 달리게 만들었다.
❷ 아빠는 내가 TV를 보게 해 주셨다.
❸ 나는 우리 집이 흔들리는 것을 느꼈다.
❹ 우리는 그녀가 자는 것을 지켜보았다.
❺ 그녀는 케빈이 우는 것을 들었다.

3 「사역동사+목적어+동사원형」의 형태이므로 빈칸에는 동사원형인 clean이 알맞다. 「have+목적어+동사원형」은 '(목적어)가 ~하게 하다'라는 뜻이다.

4 목적어 you 뒤에 동사원형인 play가 있으므로 빈칸에는 사역동사 또는 지각동사가 와야 한다. 따라서 지각동사인 ❶이 알맞다. ❷~❺는 목적격 보어로 동사원형이 아닌 to부정사를 쓰는 동사들이다.
❶ …가 ~하는 것을 들었다   ❷ …가 ~하기를 원했다
❸ …에게 ~해 달라고 부탁했다   ❹ …에게 ~하라고 말했다
❺ ~하기를 희망했다

5 목적격 보어 동사원형 go가 쓰인 문장으로 빈칸에는 사역동사나 지각동사가 올 수 있다. want는 목적격 보어로 to부정사를 쓰는 동사이므로 빈칸에 알맞지 않은 말은 ❺이다.
• 그녀는 그가 잠자리에 들게 _____. /

그녀는 그가 잠자리에 드는 것을 _____.
❶ …가 ~하게 했다   ❷ …가 ~하게 해 주었다
❸ …가 ~하게 만들었다   ❹ …가 ~하는 것을 보았다
❺ …가 ~하기를 원했다

6 watch는 지각동사로 목적격 보어로 동사원형을 쓰는 동사이므로 빈칸에 알맞지 않은 말은 dive의 3인칭 단수 현재형인 ❷ dives이다.
• 그들은 우리 아버지가 _____ 지켜보았다.
❶ 노래하다   ❷ 다이빙하다   ❸ 달리다
❹ 스키를 타다   ❺ 스케이트를 타다

7 '(목적어)가 ~하게 만들다'라는 뜻이므로 「사역동사 make+목적어+동사원형」의 순서가 되어야 한다. 따라서 목적어인 her가 들어갈 위치는 ❷가 알맞다.

8 '(목적어)가 ~하는 것을 듣다'라는 뜻이므로 「지각동사 hear+목적어+동사원형」의 순서가 되어야 한다. 따라서 동사원형인 bark가 들어갈 위치는 목적어 a dog의 뒤인 ❹가 알맞다.

9 have lunch는 '점심 식사를 하다'라는 의미로 이때 have는 '(음식)을 먹다[마시다]'라는 뜻이다. 그리고 「have+목적어+동사원형」은 '(목적어)가 ~하게 하다'라는 뜻으로 이때 have는 사역동사이다. 첫 번째 문장과 두 번째 문장 모두 주어가 3인칭 단수이므로 빈칸에는 have의 3인칭 단수 현재형인 has가 알맞다.
❶ 요리하다   ❷ 물어보다, 부탁하다   ❸ 가져오다
❹ 먹다, …가 ~하게 하다   ❺ 원하다

10 형용사를 주격 보어로 쓰고, 동사원형을 목적격 보어로 쓸 수 있는 동사는 feel의 과거형인 ❺ felt이다. 「feel+형용사」는 '~하게 느끼다, ~한 느낌이다'라는 뜻이고 「feel+목적어+동사원형」은 '(목적어)가 ~하는 것을 느끼다'라는 뜻이다.
❶ 들었다   ❷ …가 ~하게 했다   ❸ ~한 냄새가 났다
❹ 보았다   ❺ ~하게 느꼈다, …가 ~하는 것을 느꼈다

11 make는 '(목적어)가 ~하게 만들다'라는 뜻의 사역동사이고, see는 '(목적어)가 ~하는 것을 보다'라는 뜻의 지각동사이다. 사역동사와 지각동사는 「사역동사/지각동사+목적어+동사원형」으로 쓴다. 따라서 목적어 뒤의 빈칸에 알맞은 말은 동사원형인 eat와 wait이다.

12 let은 '(목적어)가 ~하게 해 주다'라는 뜻의 사역동사이고, watch는 '(목적어)가 ~하는 것을 지켜보다'라는 뜻의 지각동사이다. 따라서 목적어 뒤의 빈칸에 알맞은 말은 동사원형인 go와 climb이다.

13 had는 사역동사 have의 과거형으로 「사역동사+목적어+동사원형」이 되어야 하므로 목적어 him 뒤에는 동사원형인 fix가 알맞다.
• 우즈 씨는 그가 그녀의 차를 수리하게 했다.

14 목적어 Jeff 뒤에 동사원형인 laugh가 있으므로 목적격 보어로 동사원형을 쓸 수 있는 지각동사 hear의 과거형인 heard가 알맞다. tell은 목적격 보어로 to부정사를 쓰는 동사이다.
• 그녀는 제프가 크게 웃는 소리를 들었다.

15 make는 「make+목적어+동사원형」으로 쓰면 '(목적어)가 ~하게 만들다'라는 뜻이 된다. 따라서 밑줄 친 우리말을 영어

로 바르게 옮긴 것은 목적어 me 뒤에 동사원형 leave를 쓴
❷ me leave early이다.
• 그는 내가 일찍 떠나게 만들었다.

16 see는 「see+목적어+동사원형」으로 쓰면 '(목적어)가 ~하
는 것을 보다'라는 뜻이 된다. 따라서 밑줄 친 우리말을 영어
로 바르게 옮긴 것은 목적어 you 뒤에 동사원형 fly를 쓴 ❶
you fly a kite이다.
• 우리는 네가 연을 날리는 것을 보았다.

17 let은 사역동사로 「let+목적어+동사원형」으로 쓰면 '(목적어)
가 ~하게 해 주다'라는 뜻이 된다. 따라서 ❷에서 목적어 her
뒤의 eats는 동사원형인 eat가 되어야 한다.
❶ 그의 이모는 그가 집에 머무르게 만드셨다.
❷ I let her eat my cookies. 나는 그녀가 내 과자들을 먹
게 해 주었다.
❸ 너는 내가 그 방을 청소하게 했다.
❹ 우리는 네가 그 건물에 들어가는 것을 보았다.
❺ 그녀는 새가 노래하는 소리를 들었다.

18 watch는 지각동사로 「watch+목적어+동사원형」으로 쓰면
'(목적어)가 ~하는 것을 지켜보다'라는 뜻이 된다. 따라서 ❶
에서 목적어 an apple 뒤의 to fall은 동사원형인 fall이 되
어야 한다.
❶ He watched an apple fall. 그는 사과가 떨어지는 것
을 지켜보았다.
❷ 그녀는 내가 그녀의 이름을 부르는 것을 들었다.
❸ 나는 우리 고양이가 내 코를 핥는 것을 느꼈다.
❹ 그는 자기 아들이 당근을 먹게 만들었다.
❺ 그녀는 그가 그녀의 자동차를 운전하게 해 주었다.

19 have는 사역동사로 「have+목적어+동사원형」으로 쓰면
'(목적어)가 ~하게 하다'라는 뜻이 된다. 빈칸에는 we의 목
적격인 us와 동사원형 close가 알맞다.

20 watch는 지각동사로 「watch+목적어+동사원형」으로 쓰면
'(목적어)가 ~하는 것을 지켜보다'라는 뜻이 된다. 빈칸에는
I의 목적격인 me와 동사원형 swim이 알맞다.

21 make는 사역동사로 「make+목적어+동사원형」으로 쓰면
'(목적어)가 ~하게 만들다'라는 뜻이 된다. '자기 개(his dog)
가 다시 점프하게(jump again)' 만들었으므로 made his
dog jump again으로 쓴다.

22 have는 사역동사로 「have+목적어+동사원형」으로 쓰면 '(목
적어)가 ~하게 하다'라는 뜻이 된다. '내(me)가 변기를 청소하
게(clean the toilet)' 했으므로 had me clean the toilet으
로 쓴다.

23 see는 지각동사로 「see+목적어+동사원형」으로 쓰면 '(목적
어)가 ~하는 것을 보다'라는 뜻이 된다. '그녀(her)가 마라톤
을 뛰는(run a marathon) 것을' 보았으므로 saw her run
a marathon으로 쓴다.

24 hear는 지각동사로 「hear+목적어+동사원형」으로 쓰면 '(목
적어)가 ~하는 것을 듣다'라는 뜻이 된다. '네(you)가 문을
두드리는(knock on the door) 것을' 들었으므로 heard
you knock on the door로 쓴다.

25 feel은 지각동사로 「feel+목적어+동사원형」으로 쓰면 '(목적
어)가 ~하는 것을 느끼다'라는 뜻이 된다. '책상(a desk)이

흔들리는(shake) 것을' 느꼈으므로 felt a desk shake로
쓴다.

Wrap Up

91쪽

1 1 사역동사　2 동사원형　3 동사원형
　4 have

2 1 지각동사　2 동사원형　3 동사원형
　4 feel

Check Up

run, catch, come

만화 해석

잭: 나는 네가 달리게 만들 거야.
잭: 우리는 스노위가 공을 잡는 것을 볼 거야.
잭: 나는 그가 공을 가지고 오는 소리가 들려.
잭: 아, 불쌍한 스노위.

Review Test ·· 02

92~95쪽

1 ❶　　2 ❹　　3 ❷　　4 ❹
5 ❸　　6 ❷　　7 ❶　　8 ❸
9 ❷　　10 ❺　　11 ❸　　12 warm
13 watched　　14 ❹　　15 ❹
16 calls me a crybaby
17 found it interesting　18 told us to leave
19 had him water　　20 saw you run

해설

1 call은 '(목적어)를 ~라고 부르다'라는 뜻으로 목적어(him)
뒤에 목적격 보어(Spiderman)로 명사가 온다.
❶ (목적어)를 ~라고 부르다
❷ (목적어)가 ~하게 만들다
❸ (목적어)를 ~라고 생각하다
❹ (목적어)에게 ~하라고 말하다
❺ (목적어)가 ~하게 하다

2 지각동사 see는 '(목적어)가 ~하는 것을 보다'라는 뜻으로
목적어(Ricky) 뒤에 목적격 보어로 동사원형(dance)을
쓴다.
❶ (목적어)가 ~하게 만들었다
❷ (목적어)가 ~하다고 생각했다
❸ (목적어)가 ~하다는 것을 알았다
❹ (목적어)가 ~하는 것을 보았다
❺ (목적어)가 ~하기를 원했다

3 find는 '(목적어)가 ~하다는 것을 알다'라는 뜻으로 「find+목

적어+형용사」로 쓴다. 따라서 첫 번째 문장의 빈칸에는 형용사인 easy가 알맞다. think는 '(목적어)가 ~라고 생각하다'라는 뜻으로 「think+목적어+명사/형용사」로 쓴다. 따라서 두 번째 문장의 빈칸에는 목적격인 him이 알맞다.

4 ask는 '(목적어)에게 ~해 달라고 부탁하다'라는 뜻으로 목적어 뒤에 목적격 보어로 to부정사가 온다. 지각동사 hear는 '(목적어)가 ~하는 것을 듣다'라는 뜻으로 목적어 뒤에 목적격 보어로 동사원형이 온다.

5 '(목적어)가 ~하게 만들다'라는 뜻으로, 목적어 뒤에 목적격 보어로 형용사와 동사원형이 올 수 있는 동사는 make이다.
 ❶ (목적어)가 ~하게 했다
 ❷ (목적어)가 ~하게 유지했다
 ❸ (목적어)가 ~하게 만들었다
 ❹ (목적어)에게 ~하라고 말했다
 ❺ (목적어)가 ~하다는 것을 알았다

6 '~해 오다'라는 현재 완료 시제는 「have/has+과거분사」로 나타낸다. 그리고 '(목적어)가 ~하게 하다'라는 뜻으로, 목적어 뒤에 목적격 보어로 동사원형이 오는 동사는 사역동사 have이다. 따라서 빈칸에는 have의 3인칭 단수 현재형인 has가 알맞다.
 ❶ ~이다, ~하다
 ❷ (목적어)가 ~하게 하다
 ❸ (목적어)가 ~하게 해 주다
 ❹ (목적어)가 ~하기를 원하다
 ❺ (목적어)가 ~하는 것을 듣다

7 want는 '(목적어)가 ~하기를 원하다'라는 뜻으로 목적어(you) 뒤에 목적격 보어로 to부정사가 온다.

8 지각동사 feel은 '(목적어)가 ~하는 것을 느끼다'라는 뜻으로 목적어(the wind) 뒤에 목적격 보어로 동사원형이 온다.

9 「ask+목적어+to부정사」로 쓰면 '(목적어)에게 ~해 달라고 부탁하다'라는 뜻이 된다.

10 사역동사 let을 사용해서 「let+목적어+동사원형」으로 쓰면 '(목적어)가 ~하게 해 주다'라는 뜻이 된다.

11 ❸의 want는 '(목적어)가 ~하기를 원하다'라는 뜻으로 목적어(me) 뒤에 목적격 보어(to study)로 to부정사가 온다.
 ❶ 콘래드 씨는 자기 아들을 비행기 조종사로 만들었다.
 ❷ 그녀는 그 상자가 무겁다는 것을 알았다.
 ❸ Mom wants me to study hard. 엄마는 내가 열심히 공부하기를 원하신다.
 ❹ 그는 우리가 그 창문들을 닫게 했다.
 ❺ 우리는 버스가 움직이는 것을 느꼈다.

12 keep은 '(목적어)가 ~하게 (유지)하다'라는 뜻으로 목적어(me) 뒤에 목적격 보어(warm)로 형용사가 온다. warmly는 부사이다.
 • 그 외투는 나를 따뜻하게 해 준다.

13 '(목적어)가 ~하는 것을 지켜보다'라는 뜻으로 목적어(us) 뒤에 목적격 보어(play)로 동사원형을 쓰는 동사는 지각동사 watch이다. told는 목적격 보어로 to부정사를 쓴다.
 • 그들은 우리가 축구를 하는 것을 지켜보았다.

14 「make+목적어+형용사」로 쓰면 '(목적어)가 ~하게 만들다'라는 뜻이 된다. 따라서 목적어인 him이 들어갈 위치는 동사

makes 뒤가 알맞다.

15 사역동사 have는 「have+목적어+동사원형」으로 쓰면 '(목적어)가 ~하게 하다'라는 뜻이 된다. 따라서 동사원형인 wash가 들어갈 위치는 목적어 Lisa 뒤가 알맞다.

16 call은 「call+목적어+명사」로 쓰면 '(목적어)를 ~라고 부르다'라는 뜻이 된다.

17 find는 「find+목적어+형용사」로 쓰면 '(목적어)가 ~하다는 것을 알다'라는 뜻이 된다.

18 tell은 「tell+목적어+to부정사」로 쓰면 '(목적어)에게 ~하라고 말하다'라는 뜻이 된다.

19 사역동사 have는 「have+목적어+동사원형」으로 쓰면 '(목적어)가 ~하게 하다'라는 뜻이 된다.

20 지각동사 see는 「see+목적어+동사원형」으로 쓰면 '(목적어)가 ~하는 것을 보다'라는 뜻이 된다.

🏊05 수동태 (1)

01 수동태

만화 해석   98쪽
엄마: 꽃병이 깨졌어요.
아빠: 신문이 찢어졌어요.

Grammar Walk!   99쪽

A　1 능동태　2 수동태　3 능동태　4 수동태
　　5 능동태　6 수동태　7 능동태　8 수동태
B　1 made　2 stolen　3 built　4 written
　　5 sent　6 seen　7 spoken　8 known
　　9 cut　10 given　11 broken　12 found

해설　**B 1** 만들다 → 만들어지다　**2** 훔치다 → 도둑맞다
　3 짓다 → 지어지다　**4** 쓰다 → 쓰이다
　5 보내다 → 보내지다　**6** 보다 → 보이다
　7 말하다 → 말해지다　**8** 알다 → 알려지다
　9 베다 → 베이다　**10** 주다 → 주어지다
　11 깨뜨리다 → 깨어지다　**12** 발견하다 → 발견되다

02 현재/과거 시제의 수동태

만화 해석   100쪽
잭: 내 자전거는 우리 아버지에 의해 수리됐어.
잭: 내 자전거는 항상 너희에 의해 부서지는구나!

Grammar Walk!

101쪽

A 1 Soccer [is played] in a lot of countries.
2 English [is spoken] in Canada.
3 Rice [is eaten] in Korea.
4 The park [is closed] at 9 p.m.
5 A lot of whales [are killed] every year.
6 A lot of stars [are seen] from here.
7 These books [are read] around the world.
8 His songs [are loved] by a lot of people.
9 My wallet [was stolen] this morning.
10 The panda [was sent] to the zoo.
11 His car [was washed] last week.
12 The novels [were written] by Charles Dickens.
13 These cell phones [were made] in Korea.
14 The windows [were cleaned] last week.
15 These tomatoes [were grown] in my yard.

해설 **A** 1 축구는 많은 나라들에서 행해진다.
2 캐나다에서는 영어가 쓰인다.
3 한국에서는 쌀을 먹는다.
4 그 공원은 밤 9시에 문이 닫힌다.
5 많은 고래들이 매년 죽임을 당한다.
6 많은 별들이 여기에서 보인다.
7 이 책들은 세계적으로 읽힌다.
8 그의 노래들은 많은 사람들에게 사랑받는다.
9 내 지갑은 오늘 아침에 도둑맞았다.
10 그 판다는 그 동물원으로 보내졌다.
11 그의 자동차는 지난주에 세차되었다.
12 그 소설들은 찰스 디킨스에 의해 쓰였다.
13 이 휴대 전화들은 한국에서 만들어졌다.
14 그 창문들은 지난주에 닦였다.
15 이 토마토들은 우리 마당에서 재배되었다.

Grammar Run!

102~103쪽

A 1 is needed   2 is fed
3 is painted   4 is seen
5 are cleaned   6 are watered
7 are found   8 are washed
9 was changed   10 was invented
11 was written   12 was built
13 were stolen   14 were sent
15 were drawn

B 1 열린다   2 연주된다
3 청소된다   4 만들어진다
5 보인다   6 사랑받는다
7 배달되었다   8 발명되었다
9 분실되었다   10 재배되었다
11 깨졌다   12 발견되었다

해설 **A** 1 그 케이크에는 많은 설탕이 필요하다.
2 우리 고양이는 하루에 두 번 먹이를 먹는다.
3 그 벽은 매년 페인트칠된다.
4 그곳에서 에베레스트 산이 보인다.
5 그 교실들은 매일 청소된다.
6 그 식물들은 매일 물을 받는다.
7 그의 양말은 자주 침대 밑에서 발견된다.
8 그 도로들은 밤늦게 씻긴다.
9 내 이메일 주소는 바뀌었다.
10 백열전구는 1879년에 발명되었다.
11 그 편지는 지난해에 쓰였다.
12 우리 학교는 2년 전에 지어졌다.
13 양 스무 마리가 어젯밤에 도둑맞았다.
14 그 호랑이들은 정글로 보내졌다.
15 그 그림들은 지난주에 그려졌다.

Grammar Jump!

104~105쪽

A 1 is played   2 is spoken
3 is opened   4 is visited
5 are eaten   6 are trained
7 was written   8 was closed
9 was left   10 were sent
11 were killed   12 were built

B 1 is seen   2 is painted
3 is cleaned   4 is used
5 are planted   6 are grown
7 are carried   8 are killed
9 was stolen   10 was built
11 was sung   12 was written
13 were found   14 were made
15 were baked

해설 **A** is opened 열린다, were killed 죽임을 당했다, was written 쓰였다, are trained 훈련을 받는다, is visited 방문을 받는다, is spoken 말해진다, are eaten 먹힌다, were sent 보내졌다, was

closed 닫혔다, is played 행해진다, were built
지어졌다, was left 남겨졌다

Grammar Fly!

106~107쪽

A
1 Rice is eaten
2 The floor is mopped
3 The garage is cleaned
4 A turkey is cooked
5 The fences are fixed
6 A lot of cars are made
7 The shoes are sold
8 Two languages are used
9 The house was built
10 She was taken
11 The song was played
12 The boxes were opened
13 We were invited
14 A few letters were sent
15 Those potatoes were grown

B
1 The snake is fed once a week.
2 The car is washed every month.
3 English is spoken in a lot of countries.
4 The flowers are watered twice a week.
5 A lot of ships are made in Korea.
6 Fresh vegetables are sold at the store.
7 My puppy was taken to the vet.
8 The door was fixed yesterday.
9 The prize was given to Bob.
10 The boxes were carried inside.
11 The two monkeys were caught last night.
12 Lots of trees were planted yesterday.

Grammar & Writing

108~109쪽

A
1 English is spoken   2 Chinese is spoken
3 Italian is spoken   4 French is spoken
5 German is spoken   6 Spanish is spoken

B
1 was written between 1599 and 1601
2 was written in 1862
3 was painted between 1503 and 1506
4 was painted in 1889
5 was invented in 1875
6 was invented in 1879

해설 **A 1** (영어)
미국에서는 영어가 쓰인다.
2 (중국어)
중국에서는 중국어가 쓰인다.
3 (이탈리아 어)
이탈리아에서는 이탈리아 어가 쓰인다.
4 (프랑스 어)
프랑스에서는 프랑스 어가 쓰인다.
5 (독일어)
독일에서는 독일어가 쓰인다.
6 (스페인 어)
스페인에서는 스페인 어가 쓰인다.

B *Hamlet* 『햄릿』, *Les Misérables* 『레 미제라블』,
Mona Lisa 「모나리자」, *Sunflowers* 「해바라기」,
the telephone 전화, the light bulb 백열전구
1 (쓰다)
『햄릿』은 1599년에서 1601년 사이에 쓰였다.
2 (쓰다)
『레 미제라블』은 1862년에 쓰였다.
3 (그리다)
「모나리자」는 1503년에서 1506년 사이에 그려
졌다.
4 (그리다)
「해바라기」는 1889년에 그려졌다.
5 (발명하다)
전화는 1875년에 발명되었다.
6 (발명하다)
백열전구는 1879년에 발명되었다.

UNIT TEST ·· 05

110~114쪽

1 ❶	2 ❺	3 ❹	4 ❸
5 ❸	6 ❺	7 ❷	8 ❸
9 ❷	10 ❸	11 ❸	12 ❷

13 are loved   14 were killed
15 ❹   16 ❶   17 ❷   18 ❸
19 was invented   20 is spoken
21 The bottle is opened easily.
22 Lots of cars are made in that factory.
23 The panda was sent to the zoo.
24 My wallet was stolen yesterday.
25 The pyramids were built thousands of
years ago.

해설

1 eat의 과거분사형은 eaten이다. ate는 eat의 과거형이다.
❶ eat 먹다 – eaten ❷ 만들다 ❸ 훔치다 ❹ 쓰다 ❺ 하다

2 take의 과거분사형은 taken이다. took은 take의 과거형이다.
❶ 보내다 ❷ 잡다, 받다 ❸ 찾다, 발견하다 ❹ 짓다
❺ take 데려가다 – taken

3 「be동사+과거분사」는 동사의 수동형으로 '~되다, ~해지다, ~당하다'로 해석된다. be washed의 우리말 뜻은 '씻기다'가 알맞다.

4 「be동사+과거분사」는 동사의 수동형이므로 '~되다, ~해지다, ~당하다'로 해석된다. be loved의 우리말 뜻은 '사랑받다'가 알맞다.

5 주어인 이 사진들(These pictures)이 '찍은' 것이 아니라 '찍힌'것이므로 「be동사+과거분사」가 있는 수동태 문장이다. 빈칸 뒤에 take의 과거분사형인 taken이 있으므로 빈칸에는 be동사 were가 알맞다.

6 주어인 창문(The window)이 '깬' 것이 아니라 '깨진' 것이므로 「be동사+과거분사」가 있는 수동태 문장이다. 빈칸 앞에 be동사인 was가 있으므로 빈칸에는 break의 과거분사형인 broken이 알맞다.

7 쌀(Rice)이 '먹히고' 그 공원(The park)이 '닫히는' 것이므로 두 문장 모두 「be동사+과거분사」가 있는 수동태 문장이다. eaten과 closed가 과거분사이고 Rice와 The park가 3인칭 단수이므로 빈칸에는 be동사 is가 알맞다.

8 축구(Soccer)가 '행해지고' 그 노래(The song)가 '연주되는' 것이므로 두 문장 모두 「be동사+과거분사」가 있는 수동태 문장이다. be동사 is와 was 뒤의 빈칸에는 과거분사가 와야 하므로 '(운동을) 하다'와 '(음악을) 연주하다'라는 뜻을 가진 play의 과거분사형인 played가 알맞다.

9 그 휴대 전화들(The cell phones)이 '만들어진' 것이므로 「be동사+과거분사」가 있는 수동태 문장이다. 따라서 be동사 were의 위치는 과거분사 made 앞이 알맞다.

10 이 토마토들(These tomatoes)이 '재배된' 것이므로 「be동사+과거분사」가 있는 수동태 문장이다. 따라서 grow의 과거분사 grown의 위치는 be동사 were 뒤가 알맞다.

11 한강(The Hangang)이 '보이는' 것이므로 「be동사+과거분사」가 있는 현재 시제의 수동태 문장이 되어야 한다. be동사의 3인칭 단수 현재형인 is와 see의 과거분사형인 seen을 쓴 is seen from here가 알맞다.
• 한강이 여기에서 보인다.

12 낡은 지도(An old map)가 '발견된' 것이므로 「be동사+과거분사」가 있는 과거 시제의 수동태 문장이 되어야 한다. be동사의 3인칭 단수 과거형인 was와 find의 과거분사형인 found를 쓴 was found가 알맞다.
• 낡은 지도가 발견되었다.

13 그 책들(The books)이 '사랑하는' 것이 아니라 '사랑받는' 것이므로 「be동사+과거분사」가 있는 수동태 문장이 되어야 한다.

14 많은 코끼리들(Lots of elephants)이 '죽인' 것이 아니라 '죽임을 당한' 것이므로 「be동사+과거분사」가 있는 수동태

문장이 되어야 한다.

15 상자(A box)가 '배달되고', '열리고', '만들어지고', '날라지고', '닫힌' 것이므로 이 문장은 「be동사+과거분사」 형태의 수동태가 되어야 한다. 따라서 「be동사+과거분사」가 아닌 동사의 과거형인 carried는 빈칸에 알맞지 않다.
• 상자가 _____.
❶ 배달되었다 ❷ 열려 있었다
❸ 만들어졌다 ❺ 닫혔다

16 그 자전거들(The bikes)이 어제 '도둑맞고', '보내지고', '수리되고', '청소되고', '페인트칠된' 것이므로 이 문장은 「be동사+과거분사」 형태의 수동태가 되어야 한다. 따라서 be동사가 없는 steal의 과거분사형 stolen은 빈칸에 들어갈 수 없다.
• 그 자전거들은 어제 _____.
❷ 보내졌다 ❸ 수리되었다
❹ 깨끗하게 닦였다 ❺ 페인트칠되었다

17 그 씨앗들(The seeds)이 스스로 '나르는' 것이 아니라 '날라지는' 것이므로 carry는 「be동사+과거분사」 형태의 are carried가 되어야 한다.
❶ 그 지붕은 매년 페인트칠된다.
❷ The seeds are carried in spring. 그 씨앗들은 봄에 운반된다.
❸ 그 책은 영어로 쓰였다.
❹ 그 울타리는 한 달에 한 번 수리되었다.
❺ 그녀는 병원으로 실려 갔다.

18 그 차고(The garage)가 스스로 '청소하는' 것이 아니라 '청소되는' 것이므로 cleans는 「be동사+과거분사」 형태의 is cleaned가 되어야 한다.
❶ 그 나무들은 지난해에 심겼다.
❷ 그 곰은 어제 잡혔다.
❸ The garage is cleaned every week. 그 차고는 매주 청소된다.
❹ 그 가게에서 신선한 채소들이 팔린다.
❺ 그 상은 밥에게 주어졌다.

19 백열전구(The light bulb)가 '발명한' 것이 아니라 '발명된' 것이므로 「be동사+과거분사」인 was invented를 써야 한다.

20 영어(English)가 '말하는' 것이 아니라 '말해지는' 것이므로 「be동사+과거분사」인 is spoken을 써야 한다.

21 그 병(the bottle)이 '열리는' 것이므로 주어 The bottle 뒤에 「be동사+과거분사」인 is opened를 쓴다.

22 많은 자동차들(lots of cars)이 '만들어지는' 것이므로 주어 Lots of cars 뒤에 「be동사+과거분사」인 are made를 쓴다.

23 그 판다(the panda)가 '보내진' 것이므로 주어 The panda 뒤에 「be동사+과거분사」인 was sent를 쓴다.

24 내 지갑(my wallet)이 '도둑맞은' 것이므로 주어 My wallet 뒤에 「be동사+과거분사」인 was stolen을 쓴다.

25 그 피라미드들(the pyramids)이 '지어진' 것이므로 주어 The pyramids 뒤에 「be동사+과거분사」인 were built를 쓴다.

Wrap Up

115쪽

1 1 능동적 **2** 청소하는 **3** 수동적 **4** 청소되는
2 1 과거분사 2 be동사

Check Up

delivered, carried, opened, were

만화 해석

커다란 상자 하나가 어제 배달되었다.
그 상자는 부엌으로 옮겨졌다.
그 상자는 열려 있었다.
병 몇 개가 깨져 있었다.

06 수동태 (2)

01 수동태의 부정문과 의문문

만화 해석

118쪽

서니: 창문이 열려 있었니?
잭: 아니, 창문은 열려 있지 않았어.
잭: 문이 고장 났어!

Grammar Walk!

119쪽

A 1 ❷   2 ❷   3 ❷   4 ❷
  5 ❷   6 ❷

B 1 Is [sugar] sold at the store?
  2 Is [German] spoken in that country?
  3 Are [many fish] caught in the lake?
  4 Are [apples] picked in autumn?
  5 Was [the book] written in English?
  6 Was [your bike] found yesterday?
  7 Were [they] invited to her party?

해설 **A** 1 프랑스 어는 학교에서 가르쳐진다.
  → 프랑스 어는 학교에서 가르쳐지지 않는다.
  2 야구는 겨울에 행해진다.
  → 야구는 겨울에 행해지지 않는다.
  3 커피콩은 한국에서 재배된다.
  → 커피콩은 한국에서 재배되지 않는다.
  4 그 자동차는 지난주에 세차되었다.
  → 그 자동차는 지난주에 세차되지 않았다.
  5 저 사진은 중국에서 찍혔다.

→ 저 사진은 중국에서 찍히지 않았다.
  6 그 컴퓨터들은 그 공장에서 만들어졌다.
  → 그 컴퓨터들은 그 공장에서 만들어지지 않았다.

B 1 그 가게에서 설탕이 팔리니?
  2 그 나라에서 독일어가 쓰이니?
  3 그 호수에서 많은 물고기들이 잡히니?
  4 가을에 사과가 따지니?
  5 그 책은 영어로 쓰였니?
  6 네 자전거는 어제 발견되었니?
  7 그들은 그녀의 파티에 초대되었니?

02 능동태와 수동태 바꿔 쓰기

만화 해석

120쪽

스노위: 블래키는 그녀에게 사랑받는다.
스노위: 그녀는 블래키에게 사랑받는다.

Grammar Walk!

121쪽

A 1 [I] draw a picture. / A picture
  2 [Mr. Smith] teaches them. / They
  3 [My parents] love me. / I
  4 [She] washes the dishes. / her
  5 [We] sell fresh vegetables. / us
  6 [They] build bridges. / them
  7 [David] saw her. / She
  8 [They] painted the wall. / The wall
  9 [I] made the kite. / The kite
  10 [Dickens] wrote the books. / Dickens
  11 [You] sang a few songs. / you
  12 [He] caught a few fish. / him

해설 **A** 1 나는 그림을 그린다.
  → 그림이 나에 의해 그려진다.
  2 스미스 선생님은 그들을 가르치신다.
  → 그들은 스미스 선생님에 의해 가르침을 받는다.
  3 우리 부모님은 나를 사랑하신다.
  → 나는 우리 부모님께 사랑받는다.
  4 그녀는 설거지를 한다.
  → 그릇들이 그녀에 의해 씻긴다.
  5 우리는 신선한 채소들을 판다.
  → 신선한 채소들이 우리에 의해 팔린다.
  6 그들은 다리를 짓는다.
  → 다리가 그들에 의해 지어진다.

7 데이비드는 그녀를 보았다.

→ 그녀는 데이비드에게 보였다.

8 그들은 그 벽을 페인트칠했다.

→ 그 벽은 그들에 의해 페인트칠되었다.

9 내가 그 연을 만들었다.

→ 그 연은 나에 의해 만들어졌다.

10 디킨스가 그 책들을 썼다.

→ 그 책들은 디킨스에 의해 쓰였다.

11 너는 노래 몇 곡을 불렀다.

→ 노래 몇 곡이 너에 의해 불리었다.

12 그는 물고기 몇 마리를 잡았다.

→ 몇 마리의 물고기가 그에 의해 잡혔다.

2 엘사는 매일 그림을 그린다.

= 그림이 매일 엘사에 의해 그려진다.

3 아빠는 저녁 식사를 요리하신다.

= 저녁 식사는 아빠에 의해 요리된다.

4 그들은 6시에 그 문들을 잠근다.

= 그 문들은 6시에 그들에 의해 잠긴다.

5 그는 많은 사진들을 찍는다.

= 많은 사진들이 그에 의해 찍힌다.

6 곤충들이 그 씨앗들을 운반한다.

= 그 씨앗들은 곤충들에 의해 운반된다.

7 그들은 그 집을 지었다.

= 그 집은 그들에 의해 지어졌다.

8 우리는 그 나무를 심었다.

= 그 나무는 우리에 의해 심겼다.

9 그녀는 그 자전거를 고장 냈다.

= 그 자전거는 그녀에 의해 고장 났다.

10 스필버그가 그 영화들을 만들었다.

= 그 영화들은 스필버그에 의해 만들어졌다.

11 그들은 그 자동차들을 수리했다.

= 그 자동차들은 그들에 의해 수리되었다.

12 네가 그 콩들을 재배했다.

= 그 콩들은 너에 의해 재배되었다.

Grammar Run!
122~123쪽

A
1 isn't	**2** locked	**3** seen
4 aren't	**5** wasn't	**6** broken
7 moved	**8** caught	**9** Is
10 Are	**11** Was	**12** planted
13 drawn	**14** killed	**15** made

B
1 love, is loved	**2** draws, is drawn
3 cooks, is cooked	**4** lock, are locked
5 takes, are taken	**6** carry, are carried
7 built, was built	**8** planted, was planted
9 broke, was broken	**10** made, were made
11 fixed, were fixed	**12** grew, were grown

해설 **A**
1 그 마룻바닥은 로라에 의해 대걸레질되지 않는다.
2 아침에는 그 문이 잠겨 있지 않다.
3 여기에서는 그 탑이 보이지 않는다.
4 그 꽃 가게에서는 그 식물들이 팔리지 않는다.
5 그 의자는 우리 아빠에 의해 만들어지지 않았다.
6 그 접시는 나에 의해 깨지지 않았다.
7 저 탁자들은 그들에 의해 옮겨지지 않았다.
8 그 도둑들은 경찰에 의해 잡히지 않았다.
9 그 방은 매일 청소되니?
10 그 노래들은 자주 연주되니?
11 그 열쇠는 소파 위에서 발견되었니?
12 그 나무는 마당에 심겼니?
13 그 그림은 고흐에 의해 그려졌니?
14 많은 사람들이 전쟁에서 죽임을 당했니?
15 저 카메라들은 태국에서 만들어졌니?

B 1 우리는 우리 강아지를 사랑한다.
= 우리 강아지는 우리에게 사랑받는다.

Grammar Jump!
124~125쪽

A
1 is not taught	**2** is not opened
3 are not caught	**4** was not hidden
5 was not found	**6** were not seen
7 Is, played	**8** Is, loved
9 Are, cleaned	**10** Was, sent
11 Was, taken	**12** Were, grown

B
1 is taught	**2** is[was] set
3 is watered	**4** are liked
5 are cleaned	**6** are fed
7 was kicked	**8** was invented
9 was caught	**10** were helped
11 were stolen	**12** were written

해설 **A**
1 영어가 학교에서 가르쳐진다.
→ 영어가 학교에서 가르쳐지지 않는다.
2 그 창문은 쉽게 열린다.
→ 그 창문은 쉽게 열리지 않는다.
3 여기에서 큰 물고기들이 잡힌다.
→ 여기에서는 큰 물고기들이 잡히지 않는다.
4 그 지도는 상자 안에 숨겨졌다.

→ 그 지도는 상자 안에 숨겨지지 않았다.

5 그녀는 공원에서 발견되었다.

→ 그녀는 공원에서 발견되지 않았다.

6 그때 그 별들이 보였다.

→ 그때 그 별들이 보이지 않았다.

7 테니스는 많은 나라들에서 행해진다.

→ 많은 나라들에서 테니스가 행해지니?

8 그 책은 아이들에게 사랑받는다.

→ 그 책은 아이들에게 사랑받니?

9 그 교실들은 방과 후에 청소된다.

→ 그 교실들은 방과 후에 청소되니?

10 그 엽서가 베티에게 보내졌다.

→ 그 엽서가 베티에게 보내졌니?

11 그는 병원에 실려 갔다.

→ 그는 병원에 실려 갔니?

12 저 배들은 나주에서 재배되었다.

→ 저 배들은 나주에서 재배되었니?

B 1 손 선생님이 올해 과학을 가르치신다.

→ 과학은 올해 손 선생님에 의해 가르쳐진다.

2 우리가 식탁을 차린다[차렸다].

→ 식탁이 우리에 의해 차려진다[차려졌다].

3 우리 오빠는 그 식물에 물을 준다.

→ 그 식물은 우리 오빠에 의해 물이 주어진다.

4 아이들은 펭귄을 좋아한다.

→ 펭귄은 아이들에게 좋게 여겨진다.

5 그는 그 방들을 청소한다.

→ 그 방들은 그에 의해 청소된다.

6 나는 그 고양이들에게 먹이를 준다.

→ 그 고양이들은 나에 의해 먹여진다.

7 그녀는 축구공을 찼다.

→ 그 축구공은 그녀에 의해 차였다.

8 에디슨은 백열전구를 발명했다.

→ 백열전구는 에디슨에 의해 발명되었다.

9 경찰이 그 도둑을 잡았다.

→ 그 도둑은 경찰에 의해 잡혔다.

10 그들은 아픈 사람들을 도왔다.

→ 아픈 사람들은 그들에게 도움을 받았다.

11 그 남자는 닭 세 마리를 훔쳤다.

→ 닭 세 마리가 그 남자에게 도둑맞았다.

12 셰익스피어가 그 희곡들을 썼다.

→ 그 희곡들은 셰익스피어에 의해 쓰였다.

Grammar Fly!

126~127쪽

A 1 isn't delivered   **2** isn't seen

3 aren't helped   **4** wasn't invited

5 wasn't drawn   **6** weren't grown

7 weren't sold   **8** Is the book written

9 Is Chinese spoken

10 Are the books read

11 Was Jack's backpack stolen

12 Was the bag left

13 Were wild pigs found

14 Were the thieves caught

B 1 Dinner is cooked by her.

2 The song is loved by children.

3 The yard is swept by him.

4 We are taught by Ms. Gates.

5 Model airplanes are made by me.

6 Fresh vegetables are sold by them.

7 The letter was delivered by him.

8 The butterfly was caught by my sister.

9 The box was carried by Bill.

10 The apples were eaten by Jenny.

11 The snowballs were thrown by us.

12 They were found by Mr. Harrington.

해설 **B 1** 그녀는 저녁 식사를 요리한다.

→ 저녁 식사가 그녀에 의해 요리된다.

2 아이들은 그 노래를 사랑한다.

→ 그 노래는 아이들에게 사랑받는다.

3 그가 마당을 쓴다. → 마당이 그에 의해 쓸린다.

4 게이츠 선생님이 우리를 가르치신다.

→ 우리는 게이츠 선생님에게 가르침을 받는다.

5 나는 모형 비행기를 만든다.

→ 모형 비행기가 나에 의해 만들어진다.

6 그들은 신선한 채소를 판다.

→ 신선한 채소가 그들에 의해 팔린다.

7 그는 그 편지를 배달했다.

→ 그 편지가 그에 의해 배달되었다.

8 내 여동생이 그 나비를 잡았다.

→ 그 나비가 내 여동생에 의해 잡혔다.

9 빌이 그 상자를 옮겼다.

→ 그 상자가 빌에 의해 옮겨졌다.

10 제니가 그 사과들을 먹었다.

→ 그 사과들이 제니에 의해 먹혔다.

11 우리는 눈 뭉치를 던졌다.

→ 눈 뭉치가 우리에 의해 던져졌다.

12 해링턴 씨가 그들을 발견했다.

→ 그들은 해링턴 씨에 의해 발견되었다.

Grammar & Writing 128~129쪽

A
1 wasn't painted, was painted
2 wasn't hit, was hit
3 wasn't sung, was sung
4 weren't taken, were taken
5 weren't broken, were broken
6 wasn't cleaned, was cleaned

B
1 Was the bridge built
2 Was the store opened
3 Was the tree planted
4 Was the statue found
5 Was the picture drawn
6 Was the carpet made

해설 **A** 1 (페인트칠하다)
그 벽은 짐에 의해 페인트칠되지 않았다.
그 벽은 톰에 의해 페인트칠되었다.
2 (치다)
그 공은 벤에 의해 쳐지지 않았다.
그 공은 데이비드에 의해 쳐졌다.
3 (노래하다)
그 노래는 메리에 의해 불리지 않았다.
그 노래는 에이미에 의해 불리었다.
4 (찍다)
그 사진들은 캐시에 의해 찍히지 않았다.
그 사진들은 베티에 의해 찍혔다.
5 (깨다, 부수다)
그 병들은 켄에 의해 깨지지 않았다.
그 병들은 벤에 의해 깨졌다.
6 (청소하다)
그 방은 베티에 의해 청소되지 않았다.
그 방은 캐시에 의해 청소되었다.

B bridge 다리, store 가게, statue 조각상,
carpet 카펫
1 Q: 그 다리는 1950년에 지어졌니? (그 다리)
A: 응, 그랬어.
2 Q: 그 가게는 1930년에 열렸니? (그 가게)
A: 아니, 그러지 않았어. 그것은 1920년에 열렸어.
3 Q: 그 나무는 1885년에 심겼니? (그 나무)
A: 아니, 그러지 않았어. 그것은 1895년에 심겼어.
4 Q: 그 조각상은 2005년에 발견되었니?
(그 조각상)

A: 응, 그랬어.
5 Q: 그 그림은 1800년에 그려졌니? (그 그림)
A: 응, 그랬어.
6 Q: 그 카펫은 1750년에 만들어졌니? (그 카펫)
A: 아니, 그러지 않았어. 그것은 1700년에 만들어졌어.

해설

1 speak(말하다)의 과거분사형은 spoke가 아니라 spoken이다.
❶ (운동 경기 등을) 하다, (악기 등을) 연주하다
❷ 재배하다, 기르다 ❸ 팔다
❹ speak 말하다 - spoke - spoken ❺ 가르치다
2 hit(치다)의 과거형과 과거분사형은 hit으로 동사원형과 형태가 같다.
❶ 사랑하다 ❷ 노래하다 ❸ 그리다
❹ 대걸레질하다 ❺ hit 치다 - hit - hit
3 수동태 문장을 부정할 때는 be동사 뒤에 not을 쓴다. 주어가 복수인 We이므로 weren't가 알맞다.
4 수동태로 물을 때는 be동사를 주어 앞으로 보내 「be동사+주어+과거분사 ~?」로 쓴다. 주어가 3인칭 단수인 the tower이고 과거 시제이므로 빈칸에는 Was가 알맞다.
5 수동태 문장을 부정할 때는 be동사 뒤에 not을 쓴다.
6 수동태로 물을 때는 be동사를 주어 앞으로 보내 「be동사+주어+과거분사 ~?」로 쓴다.
7 ❺에서 주어 His shoes가 복수이므로 be동사는 is가 아니라 are가 되어야 한다.
❶ 저녁 식사는 아빠에 의해 요리되지 않는다.
❷ 야구는 겨울에 행해지지 않는다.
❸ 그 방은 나에 의해 청소되지 않는다.
❹ 독일어는 한국에서 쓰이지 않는다.
❺ His shoes are not washed by him. 그의 신발은 그에 의해 빨리지 않는다.
8 ❷에서 주어 the Christmas card가 단수이므로 Were가

아니라 Was가 되어야 한다.

❶ 그 책들은 디킨스에 의해 쓰였니?

❷ Was the Christmas card sent by her? 그 크리스마스 카드는 그녀에 의해 보내졌니?

❸ 그 노래들은 자주 연주되었니?

❹ 그 가방은 버스에 남겨졌니?

❺ 그 배들은 나주에서 재배되었니?

9 능동태 문장이 과거 시제(helped)이므로 be동사의 과거형 were를 쓴 were helped가 알맞다.
- 우리는 그 가난한 아이들을 도와주었다.
  → 그 가난한 아이들은 우리에게 도움을 받았다.

10 능동태의 목적어로 쓰인 대명사가 수동태의 주어가 되면 주격으로 바꿔 쓴다.
- 고흐가 그것들을 그렸다.
  → 그것들은 고흐에 의해 그려졌다.

11 그 씨앗들(The seeds)이 '운반하는' 것이 아니라 '운반되는' 것이므로 「be동사+과거분사」가 있는 수동태 문장이 되어야 한다. 과거분사 carried 앞의 do는 be동사 are 또는 were로 바뀌어야 한다.
- The seeds are[were] carried by insects. 그 씨앗들은 벌레들에 의해 운반된다[운반되었다].

12 by는 전치사이므로 대명사가 뒤에 올 때는 주격이 아닌 목적격을 써야 한다. 따라서 they는 them으로 바뀌어야 한다.
- The house was built by them. 그 집은 그들에 의해 지어졌다.

13 ① 능동태의 목적어를 수동태의 주어로 쓴다. (English → English)
② 능동태의 동사를 「be동사+과거분사」로 바꿔 쓴다. (teaches → is taught)
③ 능동태의 주어를 「by+목적격」으로 바꿔 문장 뒤에 쓴다. (He → by him)
- 그는 영어를 가르친다.
  → 영어는 그에 의해 가르쳐진다.

14 ① 능동태의 목적어를 수동태의 주어로 쓴다. (them → They): 능동태의 목적어가 대명사의 목적격이므로 주격으로 바꿔 쓴다.
② 능동태의 동사를 「be동사+과거분사」로 바꿔 쓴다. (found → were found): 능동태의 동사가 과거형이므로 be동사의 과거형을 쓴다.
③ 능동태의 주어를 「by+목적격」으로 바꿔 문장 뒤에 쓴다. (Susie → by Susie)
- 수지가 그것들을 발견했다.
  → 그것들은 수지에 의해 발견되었다.

15 수동태 문장을 부정할 때는 be동사 뒤에 not을 쓰고 과거분사를 쓴다.
- 그 접시는 나에 의해 깨졌다.
  → 그 접시는 나에 의해 깨지지 않았다.

16 수동태로 물을 때는 be동사를 주어 앞으로 보내 「be동사+주어+과거분사 ~?」로 쓴다.
- 저 카메라들은 태국에서 만들어진다.
  → 저 카메라들은 태국에서 만들어지니?

17 그 책(The book)이 '사랑한' 것이 아니라 '사랑받은' 것이므로 「be동사+과거분사」(was loved)가 있는 수동태 문장이 되어야 한다. 수동태 문장에서 행동을 한 주체는 「by+목적격」(by parents)으로 나타낸다.

18 그들의 자동차(Their car)가 '훔친' 것이 아니라 '도둑맞은' 것이므로 「be동사+과거분사」(was stolen)가 있는 수동태 문장이 되어야 한다. 수동태 문장에서 행동을 한 주체는 「by+목적격」(by him)으로 나타낸다.

19 능동태의 동사(sets)를 「be동사+과거분사」(is set)로 바꿔 쓴다. 능동태의 주어(He)는 「by+목적격」(by him)으로 바꿔 문장 뒤에 쓴다.
- 그는 식탁을 차린다.
  → 식탁은 그에 의해 차려진다.

20 능동태의 동사(caught)를 「be동사+과거분사」(were caught)로 바꿔 쓴다. 문장의 시제가 과거이고 수동태의 주어가 복수이므로 be동사는 are의 과거형인 were를 쓴다. 능동태의 주어(The police)는 「by+목적격」(by the police)으로 바꿔 문장 뒤에 쓴다.
- 경찰이 그 도둑들을 붙잡았다.
  → 그 도둑들은 경찰에 의해 붙잡혔다.

21 커피콩(The coffee beans)이 '재배하는' 것이 아니라 '재배되는' 것이므로 「be동사+과거분사」(are grown)가 있는 수동태 문장이 되어야 한다. 수동태 문장을 부정할 때는 be동사 뒤에 not을 쓴다. 주어가 복수이므로 be동사는 aren't를 쓴다.

22 많은 사람들(many people)이 '죽인' 것이 아니라 '죽임을 당한' 것이므로 수동태 의문문이 되어야 한다. 수동태로 물을 때는 be동사를 주어 앞으로 보내 「be동사+주어+과거분사 ~?」로 쓴다. 과거 시제이고 주어가 복수이므로 be동사는 were를 쓴다.

23 그 교실들(The classrooms)이 '청소하는' 것이 아니라 '청소되는' 것이므로 「be동사+과거분사」(are cleaned)가 있는 수동태 문장이 되어야 한다. 수동태의 주어가 복수이므로 be동사는 are를 쓴다.

24 그 책상(The desk)이 '옮긴' 것이 아니라 '옮겨진' 것이므로 「be동사+과거분사」(was moved)가 있는 수동태 문장이 되어야 한다. 과거 시제이고 수동태의 주어가 3인칭 단수이므로 be동사는 was를 쓴다. 또한 행동을 한 주체를 나타낼 때는 by 뒤에 목적격을 쓰므로 그녀(she)의 목적격인 her를 쓴다.

25 그 편지들(The letters)이 '배달한' 것이 아니라 '배달된' 것이므로 「be동사+과거분사」(were delivered)가 있는 수동태 문장이 되어야 한다. 과거 시제이고 수동태의 주어가 복수이므로 be동사는 were를 쓴다. 또한 행동을 한 주체를 나타낼 때는 전치사 by를 쓴다.

Wrap Up

1 1 not   2 과거분사   3 was   4 were
5 과거분사

2 1 주어   2 be동사   3 과거분사   4 by

Check Up

was painted, was mopped, was cleaned

만화 해석

의자가 아빠에 의해 페인트칠되었다.
바닥이 엄마에 의해 대걸레질되었다.
방이 서니에 의해 청소되었다.
아빠, 엄마, 서니: 블래키!

Review Test ·· 03 136~139쪽

1 ❸	2 ❷	3 ❺	4 ❶
5 ❸	6 ❷	7 ❺	8 ❹
9 ❸	10 ❺	11 ❸	12 ❷

13 grown 14 were found   15 isn't

16 The dishes were washed by her.

17 They were caught by Daniel.

18 The seeds are carried by insects.

19 Penguins are liked by my brother.

20 The model airplane was made by me.

해설

1 동사의 과거형과 과거분사형이 규칙적으로 변하는 동사들 중 「단모음+단자음」으로 끝나는 동사는 마지막 자음을 한 번 더 써 주고 -ed를 붙인다. 따라서 mop(대걸레질하다)의 과거형과 과거분사형은 mopped이다.
❶ 사용하다 ❷ 나르다, 운반하다
❸ mop 대걸레질하다 – mopped – mopped
❹ 발명하다 ❺ 초대하다

2 break(깨뜨리다)의 과거분사형은 broke가 아니라 broken 이다.
❶ 먹이를 주다 ❷ break 깨뜨리다 – broke – broken
❸ 훔치다 ❹ 잊다 ❺ 만들다

3 그의 자전거(His bicycle)가 '훔친' 것이 아니라 '도둑맞은' 것이므로 빈칸에는 「be동사+과거분사」인 was stolen이 알맞다. 과거 시제이고 수동태의 주어가 3인칭 단수이므로 be동사는 was를 써야 한다.

4 설탕(Sugar)이 '필요로 되어지는' 것이므로 「be동사+과거분사」가 있는 수동태 문장이 되어야 한다. 수동태 문장을 부정할 때는 be동사 뒤에 not을 쓰고, 주어가 셀 수 없는 명사인 Sugar이므로 빈칸에는 isn't가 알맞다.

5 쌀(Rice)이 '먹히는' 것이고 그의 노래(His song)가 '사랑받는' 것이므로 두 문장은 「be동사+과거분사」가 있는 수동태 문장이다. 첫 번째 문장의 빈칸에는 eat의 과거분사형인 eaten이 알맞고, 두 번째 문장의 빈칸에는 수동태 문장에서 행동을 한 주체를 나타내는 by가 알맞다.
• 한국에서는 쌀을 먹는다.
• 그의 노래는 많은 사람들에게 사랑받는다.

6 그 판다(The panda)가 '보내진' 것이고 그 책(the book)이 '쓰인' 것이므로 두 문장은 「be동사+과거분사」가 있는 수동태 문장이다. 따라서 첫 번째 문장의 빈칸에는 send의 과거분사형인 sent가 알맞다. 그리고 두 번째 문장은 수동태의 의문문(be동사+주어+과거분사 ~?)으로, 주어(the book)가 3인칭 단수이므로 두 번째 문장의 빈칸에는 be동사 was가 알맞다.
• 그 판다는 동물원에 보내졌다.
• 그 책은 영어로 쓰였니?

7 그 벽(The wall)이 '페인트칠한' 것이 아니라 '페인트칠된' 것이므로 「be동사+과거분사」(was painted)가 있는 수동태 문장이 되어야 한다. 수동태 문장에서 행동을 한 주체는 「by+목적격」(by us)으로 나타낸다.

8 그 연(The kite)이 '만든' 것이 아니라 '만들어진' 것이고, 우리말 뜻으로 보아 「be동사+not+과거분사」(wasn't made)가 있는 수동태의 부정문이 되어야 한다. 수동태 문장에서 행동을 한 주체는 「by+목적격」(by him)으로 나타낸다.

9 그 나무(The tree)가 '심은' 것이 아니라 '심긴' 것이므로 「be동사+과거분사」가 있는 수동태 문장이 되어야 한다. 수동태 문장의 주어가 3인칭 단수이므로 밑줄 친 has를 was로 고쳐 써야 한다.
• The tree was planted in the yard. 그 나무는 마당에 심겼다.

10 그 창문(the window)이 '깨뜨린' 것이 아니라 '깨진' 것이므로 수동태로 묻는 문장이 되어야 한다. 수동태의 의문문은 「be동사+주어+과거분사 ~?」의 형태이므로 break는 과거분사형인 broken으로 고쳐 써야 한다.
• Was the window broken by Tom? 그 창문은 톰에 의해 깨졌니?

11 백열전구(The light bulb)가 '발명한' 것이 아니라 '발명된' 것이므로 「be동사+과거분사」가 있는 수동태 문장이 되어야 한다. 문장의 시제가 과거이므로 밑줄 친 invented는 was invented로 고쳐야 한다.
❶ 매년 많은 고래들이 죽임을 당한다.
❷ 이 책들은 세계적으로 읽힌다.
❸ The light bulb was invented in 1879. 백열전구는 1879년에 발명되었다.
❹ 우리 학교는 2년 전에 지어졌다.
❺ 그 편지는 어제 배달되었다.

12 일본어(Japanese)가 '말하는' 것이 아니라 '말해지는' 것이므로 「be동사+not+과거분사」가 있는 수동태의 부정문이 되어야 한다. 따라서 밑줄 친 doesn't spoken은 wasn't spoken으로 고쳐야 한다.
❶ 그 의자는 우리 아빠에 의해 만들어지지 않았다.
❷ Japanese isn't spoken in Canada. 캐나다에서는 일본어가 쓰이지 않는다.
❸ 저 카메라들은 태국에서 만들어졌니?
❹ 그 문은 오후에는 잠기지 않는다.
❺ 테니스는 많은 나라들에서 행해지니?

13 주어인 오렌지들(Oranges)이 '재배하는' 것이 아니라 '재배

되는' 것이므로 「be동사+과거분사」가 있는 수동태 문장이다. 괄호 앞에 be동사인 are가 있으므로 grow의 과거분사형인 grown이 알맞다.
- 오렌지들은 캘리포니아에서 재배된다.

14 두 개의 둥지(Two nests)가 '발견한' 것이 아니라 '발견된' 것이므로 「be동사+과거분사」(were found)가 있는 수동태 문장이 되어야 한다.
- 둥지 두 개가 나무에서 발견되었다.

15 주어인 영어(English)가 '가르치는' 것이 아니라 '가르쳐지는' 것이므로 「be동사+과거분사」가 있는 수동태 문장이다. 수동태 문장을 부정할 때는 be동사 뒤에 not을 쓰므로 isn't가 알맞다.
- 영어는 그 학교에서 가르쳐지지 않는다.

16 능동태의 목적어(the dishes)를 수동태의 주어(The dishes)로 쓴다. 그런 다음 능동태의 동사(washed)를 「be동사+과거분사」로 바꿔 쓴다. 과거 시제이고 수동태의 주어가 복수이므로 were washed로 써야 한다. 마지막으로 능동태의 주어(She)를 「by+목적격」(by her)으로 바꿔 문장 뒤에 쓴다.
- 그녀가 설거지를 했다.
  → 그릇들이 그녀에 의해 씻겼다.

17 능동태의 목적어(them)를 수동태의 주어(They)로 쓴다. 그런 다음 능동태의 동사(caught)를 「be동사+과거분사」로 바꿔 쓴다. 과거 시제이고 수동태의 주어가 복수이므로 were caught로 써야 한다. 마지막으로 능동태의 주어(Daniel)를 「by+목적격」(by Daniel)으로 바꿔 문장 뒤에 쓴다.
- 대니얼이 그들을 붙잡았다.
  → 그들은 대니얼에 의해 붙잡혔다.

18 능동태의 목적어(the seeds)를 수동태의 주어(The seeds)로 쓴다. 그런 다음 능동태의 동사(carry)를 「be동사+과거분사」로 바꿔 쓴다. 현재 시제이고 수동태의 주어가 복수이므로 are carried로 써야 한다. 마지막으로 능동태의 주어(Insects)를 「by+목적격」(by insects)으로 바꿔 문장 뒤에 쓴다.
- 곤충들이 그 씨앗들을 운반한다.
  → 그 씨앗들은 곤충들에 의해 운반된다.

19 능동태의 목적어(penguins)를 수동태의 주어(Penguins)로 쓴다. 그런 다음 능동태의 동사(likes)를 「be동사+과거분사」로 바꿔 쓴다. 현재 시제이고 수동태의 주어가 복수이므로 are liked로 써야 한다. 마지막으로 능동태의 주어(My brother)를 「by+목적격」(by my brother)으로 바꿔 문장 뒤에 쓴다.
- 내 남동생은 펭귄을 좋아한다.
  → 펭귄은 내 남동생에게 좋게 여겨진다.

20 능동태의 목적어(the model airplane)를 수동태의 주어(The model airplane)로 쓴다. 그런 다음 능동태의 동사(made)를 「be동사+과거분사」로 바꿔 쓴다. 과거 시제이고 수동태의 주어가 단수이므로 was made로 써야 한다. 마지막으로 능동태의 주어(I)를 「by+목적격」(by me)으로 바꿔 문장 뒤에 쓴다.
- 내가 그 모형 비행기를 만들었다.
  → 그 모형 비행기는 나에 의해 만들어졌다.

Unit 07 접속사 (1)

01 접속사 when과 while

만화 해석 142쪽

잭: 스노위와 산책할 때, 나는 운동화를 신는다.
잭: 스노위와 산책하는 동안, 나는 달려야 한다.

Grammar Walk! 143쪽

A 1 [When] I'm tired, I go to bed early.
   2 [When] I was shopping at the mall, I met my friend.
   3 [When] my mother cooks dinner, I help her.
   4 [When] the plane arrived, David called me.
   5 [When] my dog is happy, he barks.
   6 [When] the phone rang, I was sleeping.
   7 [When] my family was in China, we stayed in a hotel.
   8 [When] the rain stopped, I closed my umbrella.
   9 [While] I was reading the book, my brother came in.
   10 [While] he was studying, his legs shook.
   11 [While] I was walking to school, it began to snow.
   12 [While] Jack was watching TV, Amy made a model airplane.
   13 [While] she was reading, a dog barked.
   14 [While] the teacher was talking, Mary raised her hand.
   15 [While] we were having dinner, he knocked on the door.

해설 **A** 1 나는 피곤할 때, 일찍 잠자리에 든다.
   2 나는 쇼핑몰에서 쇼핑을 하고 있을 때, 친구를 만났다.
   3 우리 어머니가 저녁 식사를 요리하실 때, 나는 그녀를 도와 드린다.
   4 그 비행기가 도착했을 때, 데이비드가 내게 전화했다.
   5 우리 개는 기쁠 때, 짖는다.

6 전화가 울렸을 때, 나는 자고 있었다.

7 우리 가족이 중국에 있었을 때, 우리는 호텔에 머물렀다.

8 비가 그쳤을 때, 나는 내 우산을 접었다.

9 내가 그 책을 읽고 있는 동안, 내 남동생이 들어왔다.

10 그는 공부하고 있는 동안, 다리를 떨었다.

11 내가 학교에 걸어가고 있는 동안, 눈이 오기 시작했다.

12 잭이 TV를 보고 있는 동안, 에이미는 모형 비행기를 만들었다.

13 그녀가 책을 읽고 있는 동안, 개가 짖었다.

14 그 선생님이 말씀하고 계시는 동안, 메리가 손을 들었다.

15 우리가 저녁 식사를 하고 있는 동안, 그가 문을 두드렸다.

02 접속사 before와 after

만화 해석   144쪽

스노위: 블래키가 이 집에 오기 전에, 그들은 나를 사랑했어.

스노위: 블래키가 온 후에, 그들은 나를 사랑하지 않아.

Grammar Walk!   145쪽

A 1 [Before] I go to bed, I read books.

2 [Before] winter comes, the ants save food.

3 [Before] you ask a question, raise your hand.

4 [Before] it's too dark, he has to go home.

5 [Before] you go out, turn off the light.

6 [Before] it's late, we should meet Mr. Hawking.

7 [Before] he arrives, she will fix the chair.

8 [Before] it snows, they should move the boxes inside.

9 [After] the movie ends, you may go to bed.

10 [After] Kevin reads this book, he will lend it to you.

11 [After] you finish your homework, you may help your sister.

12 [After] they have dinner, they play chess.

13 [After] she cleans the house, she often drinks coffee.

14 [After] Max feeds his puppy, he goes to school.

15 [After] I drink a glass of water, I have a meal.

해설 **A 1** 나는 잠자리에 들기 전에, 책을 읽는다.

2 겨울이 오기 전에, 개미들은 음식을 저장한다.

3 질문을 하기 전에, 네 손을 들어라.

4 너무 어두워지기 전에, 그는 집에 가야 한다.

5 나가기 전에, 불을 꺼라.

6 늦기 전에, 우리는 호킹 씨를 만나는 것이 좋겠다.

7 그가 도착하기 전에, 그녀는 그 의자를 고칠 것이다.

8 눈이 내리기 전에, 그들은 그 상자들을 안으로 옮기는 것이 좋겠다.

9 그 영화가 끝난 후에, 너는 잠자리에 들어도 된다.

10 케빈은 이 책을 읽은 후에, 네게 그것을 빌려 줄 것이다.

11 너는 숙제를 끝낸 후에, 네 여동생을 도와도 된다.

12 그들은 저녁 식사를 한 후에, 체스를 둔다.

13 그녀는 집을 청소한 후에, 자주 커피를 마신다.

14 맥스는 자기 강아지에게 먹이를 준 후에, 학교에 간다.

15 나는 물을 한 잔 마신 후에, 식사를 한다.

Grammar Run!   146~147쪽

A 1 When   **2** When   **3** When

4 While   **5** While   **6** While

7 Before   **8** Before   **9** Before

10 Before   **11** Before   **12** After

13 After   **14** After

B 1 When   **2** When   **3** When

4 While   **5** While   **6** While

7 Before   **8** Before   **9** Before

10 After   **11** After   **12** After

해설 **B** while ~하는 동안, when ~할 때, after ~한 후에, before ~하기 전에

Grammar Jump!   148~149쪽

A 1 (너는) 칼을 사용할 때

2 내가 에이미를 만났을 때

3 그녀의 할아버지가 돌아가셨을 때

4 (너는) 음식을 씹는 동안

5 그가 요리를 하는 동안
6 우리 어머니는 운전하고 계시는 동안
7 그녀는 떠나기 전에
8 우리는 수영하러 가기 전에
9 나는 TV를 보기 전에
10 그녀는 이를 닦은 후에
11 그는 샌드위치 몇 개를 만든 후에
12 그들은 눈사람을 만든 후에

B 1 When I arrived home
2 When he saw Annie
3 When we came up to you
4 While they were studying at the library
5 While you were cleaning the room
6 While she was playing the piano
7 Before you wash the dishes
8 Before we cross the street
9 Before she leaves
10 After he goes out
11 After I go to bed
12 After he took a shower

해설 B we cross the street 우리는 길을 건넌다, he saw Annie 그는 애니를 보았다, he took a shower 그는 샤워를 했다, she was playing the piano 그녀는 피아노를 치고 있었다, I go to bed 나는 잠자리에 든다, we came up to you 우리가 네게 다가갔다, you wash the dishes 너는 설거지를 한다, I arrived home 나는 집에 도착했다, she leaves 그녀가 떠난다, he goes out 그는 나간다, you were cleaning the room 너는 방을 청소하고 있었다, they were studying at the library 그들은 도서관에서 공부하고 있었다

Grammar Fly! 150~151쪽

A 1 When she has a cold, she eats chicken soup.
2 When you need my help, I will help you.
3 When I visited Mark, he was making a kite.
4 While we were staying there, it snowed a lot.
5 While she was watching TV, her cat played with the box.
6 While he was washing his car, the doorbell rang.

7 Before I study, I tidy my desk.
8 Before she left the room, Mike asked a question.
9 Before Tony plays tennis, he drinks water.
10 After we arrived home, it started to rain.
11 After he has dinner, he will go to a movie.
12 After Rose ate the fish, she had a stomachache.

B 1 When I won the prize
2 When you feel tired
3 When she was 3 years old
4 While you are shopping
5 While I was climbing the mountain
6 While I am reading books
7 Before school starts
8 Before it gets dark
9 Before the supermarket closes
10 After he takes a shower
11 After she finished the book
12 After Dad arrives

해설 A 1 그녀는 감기에 걸린다. / 그녀는 닭고기 수프를 먹는다.
2 너는 내 도움이 필요하다. / 내가 너를 도와줄 것이다.
3 나는 마크를 찾아갔다. / 그는 연을 만들고 있었다.
4 우리는 그곳에 머무르고 있었다. / 눈이 많이 내렸다.
5 그녀는 TV를 보고 있었다. / 그녀의 고양이는 상자를 가지고 놀았다.
6 그는 세차를 하고 있었다. / 초인종이 울렸다.
7 나는 공부한다. / 나는 내 책상을 정돈한다.
8 그녀는 방을 나갔다. / 마이크가 질문을 했다.
9 토니는 테니스를 친다. / 그는 물을 마신다.
10 우리는 집에 도착했다. / 비가 내리기 시작했다.
11 그는 저녁 식사를 한다. / 그는 영화를 보러 갈 것이다.
12 로즈는 그 생선을 먹었다. / 그녀는 배가 아팠다.

Grammar & Writing 152~153쪽

A 1 While Jason was reading a book
2 While Jason was talking on the phone
3 When Jason opened the door

4 When Jason turned off the gas
5 While Jason was feeding his dog

B **1** After I had breakfast, Before I rode a bike
2 After I met Dave, Before I played basketball
3 After I took a shower, Before I had lunch
4 After I did my homework, Before I made a kite
5 After I had dinner, Before I watched TV
6 After I read a book, Before I went to bed

해설 **A 1** (~하는 동안, 책을 읽고 있었다)
제이슨이 책을 읽고 있는 동안, 전화가 울렸다.

2 (~하는 동안, 통화하고 있었다)
제이슨이 통화하고 있는 동안, 누군가 문을 두드렸다.

3 (~할 때, 문을 열었다)
제이슨이 문을 열었을 때, 물이 끓기 시작했다.

4 (~할 때, 가스를 껐다)
제이슨이 가스를 껐을 때, 그의 개가 짖기 시작했다.

5 (~하는 동안, 그의 개에게 먹이를 주고 있었다)
제이슨이 자기 개에게 먹이를 주고 있는 동안, 전화가 다시 울렸다.

B Last Saturday 지난 토요일, had breakfast 아침 식사를 했다, rode a bike 자전거를 탔다, met Dave 데이브를 만났다, played basketball 농구를 했다, took a shower 샤워를 했다, had lunch 점심 식사를 했다, did my homework 내 숙제를 했다, made a kite 연을 만들었다, had dinner 저녁 식사를 했다, watched TV TV를 봤다, read a book 책을 읽었다, went to bed 잠자리에 들었다

1 나는 아침 식사를 한 후에, 자전거를 탔다.
= 나는 자전거를 타기 전에, 아침 식사를 했다.

2 나는 데이브를 만난 후에, 농구를 했다.
= 나는 농구를 하기 전에, 데이브를 만났다.

3 나는 샤워를 한 후에, 점심 식사를 했다.
= 나는 점심 식사를 하기 전에, 샤워를 했다.

4 나는 내 숙제를 한 후에, 연을 만들었다.
= 나는 연을 만들기 전에, 내 숙제를 했다.

5 나는 저녁 식사를 한 후에, TV를 봤다.
= 나는 TV를 보기 전에, 저녁 식사를 했다.

6 나는 책을 읽은 후에, 잠자리에 들었다.
= 나는 잠자리에 들기 전에, 책을 읽었다.

UNIT TEST ·· 07 · 154~158쪽

1 ❷	**2** ❸	**3** ❹	**4** ❶
5 ❺	**6** ❹	**7** ❸	**8** ❶
9 ❷	**10** ❺	**11** ❷	**12** ❸
13 ❶	**14** ❶	**15** ❶	

16 Before **17** I visited **18** After **19** When
20 Before **21** After
22 When my dog is happy, he jumps.
23 While they were in Seoul, they stayed with us. **24** Before you cross the street, you have to look both ways.
25 After I arrived home, it began to rain.

해설

1 '(누가 또는 무엇이) ~할 때'의 뜻을 가진 접속사는 when이다.
❶ ~하는 동안에 ❷ ~할 때 ❸ ~하기 전에 ❹ ~한 후에
❺ ~에

2 '(누가 또는 무엇이) ~하기 전에'의 뜻을 가진 접속사는 before이다.
❶ ~하는 동안에 ❷ ~할 때 ❸ ~하기 전에 ❹ ~한 후에
❺ ~에

3 '(누가 또는 무엇이) ~한 후에'의 뜻을 가진 접속사는 after이다.
❶ ~하는 동안에 ❷ ~할 때 ❸ ~하기 전에 ❹ ~한 후에
❺ ~에

4 「while+주어+동사 ~」는 '(누가 또는 무엇이) ~하는 동안'이라는 뜻이다.
• 그녀가 책을 읽고 있는 동안, 데이브가 그녀에게 전화했다.

5 「before+주어+동사 ~」는 '(누가 또는 무엇이) ~하기 전에'라는 뜻이다.
• 비가 내리기 전에, 집에 가자.

6 「after+주어+동사 ~」는 '(누가 또는 무엇이) ~한 후에'라는 뜻이다.
• 그녀는 이를 닦은 후에, 잠자리에 든다.

7 '(누가 또는 무엇이) ~하는 동안'은 「while+주어+동사 ~」로 나타낸다.
• 아빠는 운전하고 계시는 동안, 라디오의 노래를 따라 부르신다.
❶ 아빠는 운전하고 계실 때 ❷ 아빠는 운전하시기 전에
❹ 아빠는 운전하신 후에
❺ (그리고) 아빠는 운전하고 계신다

8 '(누가 또는 무엇이) ~한 후에'는 「after+주어+동사 ~」로 나타낸다.
• 우리는 축구를 한 후에, 피자를 먹으러 갔다.
❷ 우리는 축구를 하기 전에 ❸ 우리는 축구를 하는 동안
❹ 우리는 축구를 할 때 ❺ (그러나) 우리는 축구를 했다

9 '(누가 또는 무엇이) ~하기 전에'는 「before+주어+동사 ~」

로 나타낸다.

• 겨울이 오기 전에, 그들은 음식을 저장해야 한다.
❶ 겨울이 오는 동안 ❸ 겨울이 올 때 ❹ 겨울이 온 후에
❺ 겨울이 오기 때문에

10 before가 있는 문장은 일이 발생한 시간의 순서에 따라 after를 사용해서 바꿔 쓸 수 있다. '숙제를 마친 후에 TV를 보는 것'이므로 빈칸에는 After가 알맞다.

• 나는 TV를 보기 전에, 내 숙제를 마친다.
= 나는 내 숙제를 마친 후에, TV를 본다.
❶ ~할 때 ❷ ~하는 동안 ❸ 그리고 ❹ ~ 뒤에 ❺ ~한 후에

11 after가 있는 문장은 일이 발생한 시간의 순서에 따라 before를 사용해서 바꿔 쓸 수 있다. '개에게 뼈다귀를 주기 전에 샌드위치를 만든 것'이므로 빈칸에는 Before가 알맞다.

• 그는 샌드위치 몇 개를 만든 후에, 자기 개에게 뼈다귀 하나를 주었다.
= 그는 자기 개에게 뼈다귀 하나를 주기 전에, 샌드위치 몇 개를 만들었다.
❶ ~하는 동안 ❷ ~하기 전에 ❸ 그러나 ❹ ~ 동안
❺ ~할 때

12 빈칸에는 시간의 의미를 더해 주는 말을 써야 자연스럽다. and는 '그리고'라는 뜻으로 비슷한 내용의 문장을 연결해 주는 말이기 때문에 적절하지 않다.
❶ ~할 때 ❷ ~하는 동안 ❸ 그리고 ❹ ~한 후에
❺ ~하기 전에

13 '(누가 또는 무엇이) ~하는 동안'은 「while+주어+동사 ~」로 나타내므로 while의 위치는 ❶이 알맞다.

14 '(누가 또는 무엇이) ~하기 전에'는 「before+주어+동사 ~」로 나타내므로 I의 위치는 동사 study 앞인 ❶이 알맞다.

15 '(누가 또는 무엇이) ~할 때'는 「when+주어+동사 ~」로 나타내므로 when의 위치는 ❶이 알맞다.

16 '(누가 또는 무엇이) ~하기 전에'는 「before+주어+동사 ~」로 나타낸다.

17 '(누가 또는 무엇이) ~할 때'는 「when+주어+동사 ~」로 나타내므로, when 뒤에는 to부정사가 아닌 주어와 동사가 와야 한다.

18 '(누가 또는 무엇이) ~한 후에'는 「after+주어+동사 ~」로 나타낸다.

19 '(누가 또는 무엇이) ~할 때'는 「when+주어+동사 ~」로 나타낸다.

20 '(누가 또는 무엇이) ~하기 전에'는 「before+주어+동사 ~」로 나타낸다.

21 '(누가 또는 무엇이) ~한 후에'는 「after+주어+동사 ~」로 나타낸다.

22 '(누가 또는 무엇이) ~할 때'는 「when+주어+동사 ~」로 나타낸다. '우리 개는 행복할 때'는 when my dog is happy로 쓰고, 쉼표를 써서 구별해 준다. 그 뒤에 he jumps를 이어 준다.

23 '(누가 또는 무엇이) ~하면서, ~하는 동안'은 「while+주어+동사 ~」를 사용해 나타내므로 '그들은 서울에 있는 동안'은 while they were in Seoul로 쓰고, 쉼표를 써서 구별해 준다. 그 뒤에 they stayed with us를 이어 준다.

24 '(누가 또는 무엇이) ~하기 전에'는 「before+주어+동사 ~」로 나타낸다. '너는 길을 건너기 전에'는 before you cross the street로 쓰고, 쉼표를 써서 구별해 준다. 그 뒤에 you have to look both ways를 이어 준다.

25 '(누가 또는 무엇이) ~한 후에'는 「after+주어+동사 ~」로 나타낸다. '내가 집에 도착한 후에'는 after I arrived home으로 쓰고, 쉼표를 써서 구별해 준다. 그 뒤에 it began to rain을 이어 준다.

Wrap Up
159쪽

1 1 접속사   **2** 접속사
2 1 동사   **2** ~할 때   **3** ~한 후에 **4** 쉼표

Check Up
When, While, Before, After

만화 해석
잭: 너희가 아기였을 때, 참 귀여웠어.
잭: 너희가 자고 있는 동안, 너희는 천사처럼 보여.
잭: 너희가 깨기 전에, 우리는 정말 평화롭지.
잭: 너희가 깬 후에, 너희는 우리를 미치게 하지.

🌀**08** 접속사 (2)

01 접속사 because와 if

만화 해석
162쪽
써니: 너희가 이 꽃병을 깨면, 나는 매우 화가 날 거야. 조심하렴.
블래키와 스노위: 네가 만졌기 때문에, 이것이 깨진 거야.

Grammar Walk!
163쪽

A 1 [Because] I am sick, I will go to the doctor.
2 [Because] we are busy now, we can't help them.
3 [Because] Susan exercises every day, she looks healthy.
4 [Because] she loves the song, she always listens to it.
5 [Because] Nick told a lie, his mom was sad.
6 [Because] it was raining, he stayed at home.

7 [Because] the room was hot, we opened the window.

8 [Because] he hurt his arm, he didn't play the piano.

9 [If] you are tired, you should go to bed early.

10 [If] the weather is nice, she often goes to the beach.

11 [If] you practice hard, you will win the race.

12 [If] it snows tomorrow, he will go skiing.

13 [If] Jack is late again, she will get angry.

14 [If] we don't hurry, we will miss the train.

15 [If] I finish my painting, I will give it to Sue.

해설 **A** 1 나는 아파서, 병원에 갈 것이다.

2 우리는 지금 바빠서, 그들을 도와줄 수 없다.

3 수전은 매일 운동을 하기 때문에, 건강해 보인다.

4 그녀는 그 노래를 몹시 좋아하기 때문에, 항상 그것을 듣는다.

5 닉이 거짓말을 했기 때문에, 그의 엄마는 슬펐다.

6 비가 오고 있었기 때문에, 그는 집에서 머물렀다.

7 그 방이 더웠기 때문에, 우리는 창문을 열었다.

8 그는 팔을 다쳤기 때문에, 피아노를 치지 않았다.

9 너는 피곤하면, 일찍 잠자리에 드는 것이 좋겠다.

10 날씨가 좋으면, 그녀는 자주 해변에 간다.

11 너는 열심히 연습하면, 그 경주에서 이길 것이다.

12 내일 눈이 오면, 그는 스키를 타러 갈 것이다.

13 잭이 또 늦으면, 그녀는 화가 날 것이다.

14 우리는 서두르지 않으면, 그 기차를 놓칠 것이다.

15 나는 내 그림을 끝내면, 그것을 수에게 줄 것이다.

4 [That] we save water is not difficult.

5 She knows [that] they are very lazy.

6 I believe [that] people are kind.

7 He thinks [that] she is a great skater.

8 We hope [that] you will win the game.

9 I think [that] he will be fine.

10 They expect [that] he will arrive today.

11 She thinks [that] Max broke the vase.

12 We know [that] Jack hurt his arm.

13 The fact is [that] a spider has eight legs.

14 The truth is [that] she told a lie.

15 His problem is [that] he doesn't like singing.

해설 **A** 1 우리가 여기에서 점프하는 것은 위험하다.

2 그가 잘생겼다는 것은 사실이다.

3 그들이 한국 음악을 몹시 좋아하는 것은 흥미롭다.

4 우리가 물을 절약하는 것은 어렵지 않다.

5 그녀는 그들이 매우 게으르다는 것을 안다.

6 나는 사람들이 친절하다고 믿는다.

7 그는 그녀가 위대한 스케이트 선수라고 생각한다.

8 우리는 네가 그 경기에서 이기기를 바란다.

9 나는 그가 괜찮을 것이라고 생각한다.

10 그들은 그가 오늘 도착하기를 기대한다.

11 그녀는 맥스가 그 꽃병을 깨뜨렸다고 생각한다.

12 우리는 잭이 팔을 다쳤다는 것을 안다.

13 사실은 거미가 여덟 개의 다리를 가지고 있다는 것이다.

14 진실은 그녀가 거짓말을 했다는 것이다.

15 그의 문제는 그가 노래 부르는 것을 좋아하지 않는다는 것이다.

02 접속사 that

만화 해석   164쪽

잭: 나는 스노위가 날 좋아한다는 걸 알아.

서니: 나는 그가 모든 음식을 좋아하는 거라고 생각해.

Grammar Walk!   165쪽

A 1 [That] we jump here is dangerous.

2 [That] he is handsome is true.

3 [That] they love K-pop is interesting.

Grammar Run!   166~167쪽

A 1 Because   2 Because   3 Because
4 Because   5 If   6 If
7 If   8 If   9 That
10 That   11 that   12 that
13 that   14 that   15 that

B 1 ❶   2 ❶   3 ❶   4 ❶
5 ❶   6 ❶   7 ❶   8 ❶
9 ❶   10 ❶   11 ❷   12 ❷
13 ❷   14 ❷   15 ❷

Grammar Jump!

168~169쪽

A
1 Because Mark drank too much coffee
2 Because we were hungry
3 Because my computer is broken
4 Because Kate had a question
5 If I finish my homework early
6 If it rains tomorrow
7 If you wait a minute
8 If you are late again
9 that Jamie is honest
10 that she will win the gold medal
11 that they can save the sick child
12 that the movie was boring

B
1 Because	2 Because	3 Because
4 Because	5 If	6 If
7 If	8 If	9 that
10 that	11 that	12 that
13 that		

해설 **A** I finish my homework early 나는 숙제를 일찍 끝낸다, you are late again 너는 다시 늦는다, Mark drank too much coffee 마크는 커피를 너무 많이 마셨다, Kate had a question 케이트는 질문이 있었다, Jamie is honest 제이미는 정직하다, we were hungry 우리는 배가 고팠다, it rains tomorrow 내일 비가 온다, she will win the gold medal 그녀가 금메달을 딸 것이다, the movie was boring 그 영화는 지루했다, you wait a minute 너는 잠깐 기다린다, my computer is broken 내 컴퓨터가 고장 났다, they can save the sick child 그들은 그 아픈 아이를 구할 수 있다

Grammar Fly!

170~171쪽

A
1 Because it was very cold, I closed the window.
2 Because he had a toothache, he went to the dentist.
3 Because she joined the drama club, she is very happy.
4 Because you hurt your leg, you should not play soccer today.
5 If you find my cell phone, bring it to me.
6 If William watches this scary film, he will not be able to sleep.
7 If Grace finishes her homework, she will help her brother.
8 If the zoo isn't far from the station, we will walk there.
9 They know that Alice is very smart.
10 My mother thought that the bag was too expensive.
11 She believed that she was the most beautiful woman in the world.
12 I hope that you will enjoy the concert.

B
1 Because it snowed
2 Because the phone rang
3 Because he needed some notebooks
4 Because the baby was sleeping
5 If you don't wear your coat
6 If he has free time
7 If my uncle comes to Seoul
8 If I tell a lie
9 that she is right
10 that he speaks English well
11 that they were from China
12 that she was in Spain

해설 **A** 1 날씨가 몹시 추웠다. / 나는 창문을 닫았다.
2 그는 이가 아팠다. / 그는 치과에 갔다.
3 그녀는 연극부에 가입했다. / 그녀는 무척 행복하다.
4 너는 다리를 다쳤다. / 너는 오늘 축구를 하지 않는 것이 좋겠다.
5 네가 내 휴대 전화를 찾는다. / 그것을 내게 가져다줘.
6 윌리엄은 이 무서운 영화를 본다. / 그는 잠을 못 잘 것이다.
7 그레이스가 숙제를 끝낸다. / 그녀는 자기 남동생을 도와줄 것이다.
8 동물원이 역에서 멀지 않다. / 우리는 거기에 걸어갈 것이다.
9 그들은 안다. / 앨리스는 무척 영리하다.
10 우리 어머니는 생각하셨다. / 그 가방은 너무 비쌌다.
11 그녀는 믿었다. / 그녀는 세상에서 가장 아름다운 여자였다.
12 나는 바란다. / 너는 그 콘서트를 즐길 것이다.

A 1 Because his dog hurt itself, is sad
2 Because he[they] won the game, is happy
3 Because she went to bed late, is tired
4 Because she has a lot of homework, is busy
5 Because he lost his bike, is angry

B 1 that the TV program is boring
2 that the TV program is exciting
3 that the TV program is interesting
4 that the TV program is funny
5 that the TV program is useful
6 that the TV program is not[isn't] useful

해설 **A** 1 (다쳤다 / 슬픈)
자기 개가 다쳤기 때문에, 그는 슬프다.
2 (경기에서 이겼다 / 행복한)
그가[그들이] 그 경기에서 이겼기 때문에, 그는 행복하다.
3 (늦게 잠자리에 들었다 / 피곤한)
그녀는 늦게 잠자리에 들었기 때문에, 피곤하다.
4 (숙제가 많다 / 바쁜)
그녀는 숙제가 많기 때문에, 바쁘다.
5 (자전거를 잃어버렸다 / 화가 난)
그는 자기 자전거를 잃어버렸기 때문에, 화가 나 있다.

B What Do You Think of This Program?
여러분은 이 프로그램에 대해 어떻게 생각하는가?,
boring 지루한, exciting 흥미진진한,
interesting 흥미로운, 재미있는, funny 웃긴,
useful 유익한, not useful 유익하지 않은
1 여섯 명의 학생들은 그 TV 프로그램이 지루하다고 생각한다.
2 여덟 명의 학생들은 그 TV 프로그램이 흥미진진하다고 생각한다.
3 아홉 명의 학생들은 그 TV 프로그램이 재미있다고 생각한다.
4 열 명의 학생들은 그 TV 프로그램이 웃기다고 생각한다.
5 일곱 명의 학생들은 그 TV 프로그램이 유익하다고 생각한다.
6 다섯 명의 학생들은 그 TV 프로그램이 유익하지 않다고 생각한다.

UNIT TEST · 08 — 174~178쪽

1	①	2	③	3	⑤	4	②
5	④	6	②	7	①	8	⑤
9	④	10	①	11	②	12	④
13	①	14	①	15	③		

16 Because 　　　　 17 you are
18 that 　　　　　　 19 Because
20 If 　　　　　　　 21 that
22 Because the room was hot, we opened the window.
23 If you are tired, you should go to bed early.
24 He hopes that she will pass the exam.
25 I think that the book is interesting.

해설

1 빈칸에는 '~해서, ~하기 때문에'라는 뜻의 접속사를 써야 하므로, Because가 알맞다.
① ~해서, ~하기 때문에 ② ~하는 동안 ③ ~하면
④ ~한 후에
2 빈칸에는 '~하면, ~한다면'이라는 뜻의 접속사를 써야 하므로, If가 알맞다.
① ~해서, ~하기 때문에 ② ~하는 동안 ③ ~하면
④ ~하기 전에
3 빈칸에는 동사 뒤에서 목적어로 쓰일 수 있도록 절을 연결해 주는 접속사를 써야 한다. 따라서 that이 알맞다.
① ~해서, ~하기 때문에 ② ~할 때 ③ ~하면 ④ ~하기 전에
4 because는 '~해서, ~하기 때문에'라는 뜻으로 이유를 나타내므로, 밑줄 친 부분은 '그가 거짓말해서, 그가 거짓말했기 때문에'가 된다.
• 그가 거짓말해서, 그의 아빠는 화가 나셨다.
5 if는 '~하면'이라는 뜻으로 조건을 나타내므로, 밑줄 친 부분은 '네가 열심히 연습하면'이 된다.
• 네가 열심히 연습하면, 그 경기에서 이길 것이다.
6 「that+주어+동사 ~」는 명사처럼 쓰일 수 있고, 이 문장에서는 주어로 쓰인 경우이므로 밑줄 친 부분의 우리말 뜻은 '우리가 규칙을 지키는 것은'이 된다.
• 우리가 규칙을 지키는 것은 중요하다.
7 '~해서, ~하기 때문에'라는 뜻으로 이유를 나타내는 접속사로 연결해야 하기 때문에 because를 써야 한다.
• 그녀는 다리를 다쳐서, 테니스를 칠 수 없다.
② 그녀가 다리를 다친 후에
④ 그녀가 다리를 다친 것
⑤ 그녀가 다리를 다쳤을 때
8 '~하면, ~한다면'이라는 뜻으로 조건을 나타내는 접속사로 연결해야 하기 때문에 if를 써야 한다.
• 나는 파리를 방문하면, 걸어서 에펠 탑을 올라가고 싶다.

❶ 내가 파리를 방문하기 전에
❷ 내가 파리를 방문하기 때문에
❸ 내가 파리를 방문하는 동안
❹ 내가 파리를 방문하는 것

9 '~하는 것을', '~라고'라는 뜻으로, 목적어 역할을 할 수 있게 하는 접속사로 연결해야 하기 때문에 that을 써야 한다.
• 그들은 네가 바이올린을 잘 켠다는 것을 알고 있다.
❶ 네가 바이올린을 잘 켤 때
❷ 네가 바이올린을 잘 켠다면
❸ 네가 바이올린을 잘 켜는 동안
❺ 네가 바이올린을 잘 켜기 때문에

10 빈칸과 연결되어 있는 절의 내용이 이유를 나타내고 있으므로 '~해서, ~하기 때문에'라는 뜻인 접속사 because를 쓴다.
• 우리는 지금 바빠서, 너를 도와줄 수 없다.
• 클라라는 친절하기 때문에, 인기가 있다.
❶ ~해서 ❷ ~할 때 ❸ ~하면, ~한다면 ❹ ~하다는 것
❺ ~한 후에

11 be동사 뒤에 있는 첫 번째 빈칸에는 보어 역할을 할 수 있도록 연결해 주는 접속사 that이 필요하고, 일반동사(believe) 뒤에 있는 두 번째 빈칸에는 목적어 역할을 할 수 있도록 연결해 주는 접속사 that이 필요하다.
• 그녀의 문제는 그녀가 너무 게으르다는 것이다.
• 우리는 그가 위대한 음악가라고 믿는다.
❶ ~한 후에 ❷ ~하다는 것 ❸ ~할 때 ❹ ~하면, ~한다면
❺ ~해서

12 ❹의 밑줄 친 부분은 주어 역할을 할 수 있도록 연결해 주는 접속사 that을 써야 한다.
❶ 엄마가 아프셔서, 아빠가 저녁 식사를 요리하셨다.
❷ 내일 날씨가 화창하면, 우리는 소풍을 갈 것이다.
❸ 나는 네가 즐거운 시간을 갖기를 바란다.
❹ That the Earth is round is a fact. 지구가 둥글다는 것은 사실이다.
❺ 사실은 치타가 매우 빨리 달린다는 것이다.

13 '~해서, ~하기 때문에'라는 뜻으로 이유를 나타낼 때는 「because+주어+동사 ~」의 형태로 쓴다. 우리말 뜻에서 '런던에서 살다'에 '~하기 때문에'라는 뜻이 더해졌으므로 ❶의 위치가 알맞다.

14 '~하면, ~한다면'이라는 뜻으로 조건을 나타낼 때는 「if+주어+동사 ~」의 형태로 쓴다. 우리말 뜻에 '비가 온다'에 '~하면'의 뜻이 더해졌으므로 ❶의 위치가 알맞다.

15 '~하다는 것을', '~라고'의 뜻으로 일반동사(knows) 뒤에서 목적어 역할을 할 때는 「that+주어+동사 ~」의 형태로 쓴다.

16 '~해서, ~하기 때문에'라는 뜻으로 이유를 나타낼 때는 because를 쓴다.

17 '~하면, ~한다면'이라는 뜻으로 조건을 나타낼 때는 「if+주어+동사 ~」로 쓴다.

18 '~하다는 것을', '~라고'의 뜻으로 일반동사(expect) 뒤에서 목적어 역할을 할 수 있도록 연결해 주는 접속사 that이 알맞다.

19 '~해서, ~하기 때문에'라는 뜻으로 이유를 나타낼 때는 because를 쓴다.

20 '~하면, ~한다면'이라는 뜻으로 조건을 나타낼 때는 if를 쓴다.

21 '~하다는 것을', '~라고'의 뜻으로 일반동사(heard) 뒤에서 목적어 역할을 할 수 있도록 연결해 주는 that을 쓴다.

22 '~해서, ~하기 때문에'라는 뜻으로 이유를 나타낼 때는 「because+주어+동사 ~」의 형태로 쓴다.

23 '~하면, ~한다면'이라는 뜻으로 조건을 나타낼 때는 「if+주어+동사 ~」의 형태로 쓴다.

24 목적어로 쓰이는 절을 연결할 때는 일반동사 뒤에 「that+주어+동사 ~」를 쓴다.

25 목적어로 쓰이는 절을 연결할 때는 일반동사 뒤에 「that+주어+동사 ~」를 쓴다.

Wrap Up 179쪽

1
| 1 because | 2 조건 | 3 because |
| 4 주어 | 5 ~하면 | 6 ~한다면 |

2 1 that 2 목적어

Check Up
If, Because, that, that

만화 해석
스노위: 날씨가 화창하면, 나는 산책을 갈 거야.
스노위: 비가 오니까, 나는 집에 있어야 해.
블래키: 나는 내일 이 비가 그치기를 바라.
잭: 나는 내일 비가 그치지 않을 거라는 걸 알아.

Review Test ~ 04 180~183쪽

1 ❸	2 ❶	3 ❷	4 ❺
5 ❹	6 ❺	7 ❷	8 ❶
9 ❸	10 ❺	11 ❹	12 ❷
13 ❷	14 After	15 she had	
16 When we were		17 Before she had	
18 Because you hurt		19 If it snows	
20 that you will pass			

해설

1 that은 절이 명사처럼 주어, 보어, 목적어 등의 명사 역할을 할 수 있도록 연결해 주는 접속사이다.
❶ ~할 때 ❷ ~하기 전에 ❸ ~하는 것 ❹ ~한 후에
❺ ~하는 동안

2 '~할 때'라는 뜻으로 시간의 의미를 더해 주는 접속사는 when이다.
❶ ~할 때 ❷ ~하기 전에 ❸ ~하면 ❹ ~하는 것
❺ ~한 후에

3 '~하면'이라는 뜻으로 조건의 의미를 더해 주는 접속사는 if
이다.
❶ ~하는 동안 ❷ ~하면 ❸ ~하기 때문에 ❹ ~하기 전에
❺ ~하는 것

4 '(누가, 무엇이) ~하는 것은[것이]'이라는 뜻으로 문장에서 명
사처럼 주어 역할을 할 수 있도록 연결해 주는 접속사는 that
이다.
❶ ~한 후에 ❷ ~할 때 ❸ ~하면 ❹ ~하기 때문에
❺ ~하는 것

5 '~하는 동안'이라는 뜻을 더해 주는 접속사는 while이고,
'~하기 전에'라는 뜻을 더해 주는 접속사는 before이다.
❶ ~하기 때문에 – ~하면 ❷ ~하는 것 – ~하기 전에
❸ ~할 때 – ~하기 때문에 ❹ ~하는 동안 – ~하기 전에
❺ ~할 때 – ~한 후에

6 '~하기 때문에'라는 뜻으로 이유의 의미를 더해 주는 접속사
는 because이고, '~한 후에'라는 뜻으로 시간의 의미를 더
해 주는 접속사는 after이다.
❶ ~하기 전에 – ~하기 때문에
❷ ~하기 때문에 – ~하는 동안
❸ ~하면 – ~하기 전에
❹ ~하는 동안 – ~하는 것
❺ ~하기 때문에 – ~한 후에

7 if는 '~하면'이라는 뜻으로 조건의 의미를 더해 주는 접속사
이므로 '네가 거짓말을 하면'이 알맞다.
• 네가 거짓말을 하면, 너희 엄마가 슬퍼하실 것이다.

8 that은 명사 역할을 할 수 있도록 절을 연결해 주는 접속사
로, 밑줄 친 부분이 주어로 쓰인 것이다. 따라서 '그가 정직하
다는 것은'이 알맞다.
• 그가 정직하다는 것은 사실이다.

9 일반동사(thinks) 뒤에 목적어가 와야 하므로 명사 역할을 할
수 있도록 절을 연결해 주는 접속사 that을 써야 한다.
❶ 나는 쇼핑몰에서 쇼핑을 하고 있을 때, 친구를 만났다.
❷ 나가기 전에, 불을 꺼라.
❸ He thinks that she is a great skater. 그는 그녀가
훌륭한 스케이트 선수라고 생각한다.
❹ 크리스는 친절해서, 인기가 있다.
❺ 문제는 그가 열심히 공부하지 않았다는 것이다.

10 '~하는 동안'이라는 뜻으로 시간의 의미를 더해 주는 접속사
는 while이다.
• 네가 설거지를 하는 동안, 나는 창문을 닦을 것이다.
❶ 네가 설거지를 하기 전에
❷ 네가 설거지를 하기 때문에
❸ 네가 설거지를 한 후에
❹ 네가 설거지를 하는 것

11 '~하면'이라는 뜻으로 조건의 의미를 더해 주는 접속사는 if
이다.
• 그녀가 그 영화를 보면, 잠을 잘 수 없을 것이다.
❶ 그녀가 그 영화를 볼 때
❷ 그녀가 그 영화를 봐서
❸ 그녀가 그 영화를 본다는 것
❺ 그녀가 그 영화를 보기 전에

12 첫 번째 대화에서는 날짜로 대답하고 있으므로 첫 번째 빈칸
에는 '언제'라는 뜻으로 시간을 묻는 의문사 when이 알맞다.
두 번째 빈칸에는 '~할 때'라는 뜻으로 시간의 의미를 더해
주는 접속사 when이 알맞다.
• A: 네 생일은 언제니? B: 2월 17일이다.
• 그가 앤을 봤을 때, 그녀는 자기 개와 함께 있었다.
❶ ~하면 ❷ ~할 때 ❸ ~하는 동안 ❹ ~하는 것
❺ ~하기 때문에

13 첫 번째 빈칸에는 '저 ~'라는 뜻의 지시형용사 that이 알맞
다. 두 번째 문장은 일반동사(heard) 뒤에 목적어가 와야 하
므로 두 번째 빈칸에는 명사 역할을 할 수 있도록 연결해 주
는 접속사 that이 알맞다.
• 그는 그때 저 공을 찾고 있었다.
• 우리는 왓슨 씨가 런던에 살았다고 들었다.
❶ ~한 후에 ❷ ~하는 것 ❸ ~할 때 ❹ ~하면
❺ ~하기 때문에

14 '~한 후에'라는 뜻으로 시간의 의미를 더해 주는 접속사는
after이다.

15 '(누가, 무엇이) ~해서, ~하기 때문에'는 「because+주어+
동사 ~」로 쓴다.

16 '~할 때'라는 뜻으로 시간의 의미를 더해 주는 접속사는
when이다.

17 '~하기 전에'라는 뜻으로 시간의 의미를 더해 주는 접속사는
before이다.

18 '~하기 때문에'라는 뜻으로 이유의 의미를 더해 주는 접속사
는 because이다.

19 '~하면'이라는 뜻으로 조건의 의미를 더해 주는 접속사는 if
이다.

20 일반동사(hope) 뒤에서 명사처럼 목적어 역할을 할 수 있도
록 연결해 주는 접속사는 that이다.

Final Test ~ 01
184~187쪽

1 ❷	2 ❸	3 ❺	4 ❶
5 ❹	6 ❷	7 ❶	8 ❸
9 ❹	10 ❸	11 ❶	12 ❹
13 ❶	14 ❸	15 ❺	

16 She gave me a book.
17 My sister asked me to help her.
18 I felt something touch my leg.
19 The telephone was invented by Bell.
20 While he was cooking, the phone rang.

해설

1 steal(훔치다)은 불규칙하게 변하는 동사로 올바른 과거분사
형은 stolen이다.
❶ 만들다 → 만들어지다

❷ 훔치다 → be stolen 도둑맞다

❸ 알다 → 알려지다

❹ 보내다 → 보내지다

❺ 주다 → 주어지다

2 sound는 '~처럼 들리다'라는 뜻이다.

❶ 그의 이야기는 지루해졌다.

❷ 그 스파게티는 상했다.

❸ 그녀의 계획은 흥미롭게 들렸다.

❹ 그 약은 쓴맛이 났다.

❺ 너는 선생님처럼 보인다.

3 「hear+목적어+동사원형」은 '(목적어)가 ~하는 것을 듣다'라는 의미이다.

❶ 우리는 그를 레오라고 불렀다.

❷ 나는 우유를 따뜻하게 유지시킬 것이다.

❸ 그는 내가 그 울타리를 페인트칠하기를 원했다.

❹ 그녀는 그가 일찍 일어나게 했다.

❺ 그들은 밤에 개가 짖는 것을 들었다.

4 그 사진(The picture)이 '찍은' 것이 아니라 '찍힌' 것이므로 「be동사+과거분사」가 있는 수동태 문장이다. 따라서 빈칸에는 was taken이 알맞다.

· 그 사진은 중국에서 찍혔다.

5 수여동사(bought)가 있는 문장에서 간접목적어(me)를 직접목적어(the blue cap) 뒤에 쓸 때에는 전치사 for와 함께 쓴다.

· 마틴 씨는 내게 파란 모자를 사 주었다.

6 첫 번째 빈칸에는 '만들어 주다'라는 의미의 수여동사를 쓰고, 두 번째 빈칸에는 '…가 ~하게 만들다'라는 의미의 사역동사를 써야 한다. 따라서 공통으로 들어갈 말은 make의 과거형인 made가 알맞다.

❶ 원했다 ❷ 만들어 주었다, …가 ~하게 만들었다

❸ 주었다 ❹ 가지고 있었다, …가 ~하게 했다

❺ 보았다

7 명사 앞에서 '~ 후에', 「주어+동사」 앞에서 '~한 후에'라는 시간의 의미를 더해 주는 말은 after이다.

❶ ~(한) 후에 ❷ ~하는 동안 ❸ ~에 ❹ ~하는 것

❺ ~하기 때문에

8 tell이 '…에게 ~하라고 말하다'라는 뜻일 때는 「tell+목적어+to부정사」로 쓰고, let이 '…가 ~하게 해 주다'라는 뜻일 때는 「let+목적어+동사원형」으로 쓴다. 따라서 첫 번째 빈칸에는 to부정사인 to lock이, 두 번째 빈칸에는 동사원형인 ride가 알맞다.

9 smell이 '~한 냄새가 나다'라는 뜻일 때는 「smell+형용사」로 쓰고, make가 '…를 ~하게 하다[만들다]'라는 뜻일 때는 「make+목적어+형용사」로 쓴다. 따라서 첫 번째 빈칸에는 sweet, 두 번째 빈칸에는 angry가 알맞다.

❶ 달콤한 – 화나게 ❷ 달콤하게 – 화난 ❸ 달콤하게 – 화난

❹ 달콤한 – 화난 ❺ 달콤하게 – 화나게

10 수여동사(showed)가 있는 문장은 「수여동사+간접목적어+직접목적어」의 순서로 쓴다. me는 간접목적어이므로 수여동사 showed 뒤에 오는 것이 알맞다.

11 '(누가 또는 무엇이) ~해서, ~하기 때문에'는 「because+

주어+동사 ~」로 나타내므로 because의 위치는 ❶이 알맞다.

12 저 상자들(Those boxes)이 '운반한' 것이 아니라 '운반된' 것이므로 「be동사+과거분사」가 있는 수동태 문장이 되어야 한다. 따라서 carried를 were carried로 고쳐야 알맞다.

· Those boxes were carried by them. 저 상자들은 그들에 의해 운반되었다.

❶ 운반하다 ❷ 운반할 것이다 ❸ (다) 운반했다

❹ 운반되었다 ❺ 운반하고 있었다

13 see는 지각동사로 목적격 보어로 동사원형을 쓰는 동사이므로 to throw를 throw로 고쳐야 알맞다.

· I saw her throw the ball. 나는 그녀가 그 공을 던지는 것을 보았다.

14 한강(The Hangang)이 '보는' 것이 아니라 '보이는' 것이므로 「be동사+과거분사」의 형태인 is seen을 써야 한다.

· 한강은 여기에서 보인다.

15 「that+주어+동사 ~」는 일반동사(thinks) 뒤에서 '~하는 것을', '~하다고'라는 뜻으로 명사처럼 목적어 역할을 할 수 있다.

· 그는 네가 똑똑하다고 생각한다.

16 수여동사 give가 '…에게 ~을 주다'라는 뜻일 때는 「give+간접목적어+직접목적어」로 쓴다.

17 ask가 '…에게 ~해 달라고 부탁하다'라는 뜻일 때는 「ask+목적어+to부정사」로 쓴다.

18 지각동사 feel이 '…가 ~하는 것을 느끼다'라는 뜻일 때는 「feel+목적어+동사원형」으로 쓴다.

19 전화(the telephone)가 '발명된' 것이므로 「be동사+과거분사」가 있는 수동태 문장이다. 행동을 한 주체(Bell)는 「by+목적격」의 형태로 문장 뒤에 쓴다.

20 '(누군가, 무엇이) ~하는 동안'은 「while+주어+동사 ~」로 나타낸다.

Final Test ᴗ 02
188~191쪽

1 ❹	2 ❷	3 ❶	4 ❸
5 ❺	6 ❸	7 ❷	8 ❹
9 ❺	10 ❷	11 ❺	12 ❶
13 ❸	14 ❹	15 ❹	

16 makes his parents happy

17 had me cut **18** heard you call

19 was caught by the police

20 Because she lived

해설

1 smell은 '~한 냄새가 나다'라는 뜻이므로 smell terrible은 '지독한 냄새가 나다'라는 뜻이다.

2 before는 '~하기 전에'라는 뜻이다.

3 간접목적어(him)와 직접목적어(a Christmas card)를 필요

로 하는 것은 수여동사인 sent이다.

❶ 보냈다 ❷ 원했다 ❸ ~해졌다, ~하게 됐다 ❹ 생각했다
❺ ~하게 들렸다

4 '~처럼 보이다'는 「look like+명사(구)」로 쓴다.

❶ ~이다 ❷ ~이 되다 ❸ ~하게 보이다 ❹ ~하게 들리다
❺ ~에게 …을 묻다

5 '(목적어)가 ~하다는 것을 알다'는 「find+목적어+형용사」로 쓰고, '(목적어)가 ~하기를 원하다'는 「want+목적어+to부정사」로 쓴다.

6 '~한 후에'는 「after+주어+동사 ~」로 나타내고, '(누가, 무엇이) ~하는 것을', '(누가, 무엇이) ~하다고'는 「that+주어+동사 ~」로 나타낸다.

❶ ~하기 전에 – ~하는 것, ~하다고
❷ ~하면 – ~하는 것, ~하다고
❸ ~한 후에 – ~하는 것, ~하다고
❹ ~하기 전에 – ~하면
❺ ~하는 것, ~하다고 – ~한 후에

7 수여동사 teach 뒤에 직접목적어(math)가 오는 경우, 간접목적어(us) 앞에 to를 쓴다. 그리고 '(목적어)에게 ~하라고 말하다'는 「tell+목적어+to부정사」로 나타낼 수 있다. 따라서 빈칸에는 공통으로 to가 알맞다.

8 '언제'라는 뜻으로 시간을 물을 때 의문사 when을 쓰고, '(누가 또는 무엇이) ~할 때'는 「when+주어+동사 ~」로 쓴다. 그러므로 문장의 빈칸에는 공통으로 when이 알맞다.

9 그 집(The house)이 '지어지는' 것이므로 「be동사+과거분사」의 수동태 문장이다. 수동태에서 행동을 한 주체는 '~에 의해'라는 뜻으로 「by+목적격」으로 나타내므로 by의 위치는 them 앞이 알맞다.

10 많은 자동차들(Lots of cars)이 '만들어지는' 것이므로 「be동사+과거분사」의 수동태 문장이 되어야 한다. 따라서 be동사 are의 위치는 과거분사 made 앞이 알맞다.

11 수여동사 show 뒤에 직접목적어(her report card)가 오는 경우, 간접목적어(him) 앞에 to를 쓴다.

❶ 그녀는 우리에게 아침 식사를 요리해 주었다.
❷ 나는 데이비드에게 그 비밀을 말해 주지 않을 것이다.
❸ 그는 내 남동생에게 연을 만들어 주었다.
❹ 너는 내게 그녀의 전화번호를 물어보았다.
❺ Julie showed her report card to him. 줄리는 자기 성적표를 그에게 보여 주었다.

12 사역동사(make, let, have 등)와 지각동사(see, watch, hear, feel 등)는 「사역동사/지각동사+목적어+동사원형」으로 쓴다.

❶ They made me wait for hours. 그들은 나를 몇 시간 동안이나 기다리게 만들었다.
❷ 우리 아버지는 내가 그 콘서트에 가게 해 주셨다.
❸ 그녀는 그 남자가 그녀의 컴퓨터를 고치게 했다.
❹ 나는 그녀가 바이올린을 켜는 것을 자주 듣는다.
❺ 블랙 씨는 그가 수영하는 것을 지켜보았다.

13 「if+주어+동사 ~」는 '(누가 또는 무엇이) ~하면, ~한다면'이라는 뜻이다.

• 내일 눈이 오면, 그는 스키를 타러 갈 것이다.

14 '(누가 또는 무엇이) ~하면서, ~하는 동안'은 「while+주어+동사 ~」로 나타낸다.

• 내가 도서관에서 공부하고 있는 동안, 불이 나갔다.

❶ 내가 도서관에서 공부하고 있다면
❸ 내가 도서관에서 공부하고 있다는 것
❺ 내가 도서관에서 공부하고 있기 때문에

15 능동태의 목적어(the windows)를 주어로 쓰고, 능동태의 동사(broke)를 「be동사+과거분사」(were broken)로 바꿔 쓴다. 문장의 시제가 과거이고 수동태의 주어가 복수이므로 be동사는 are의 과거형인 were를 쓴다. 능동태의 주어(She)는 「by+목적격」(by her)으로 바꾸어 문장 뒤에 쓴다.

• 그녀는 그 창문들을 깼다.
→ 그 창문들은 그녀에 의해 깨졌다.

16 '(목적어)를 ~하게 만들다/하다'라는 뜻으로, 「make+목적어(his parents)+형용사(happy)」를 쓴다.

17 '(목적어)가 ~하게 하다'는 「have+목적어(me)+동사원형 (cut)」으로 쓴다. 과거 시제이므로 have의 과거형인 had를 쓴다.

18 '(목적어)가 ~하는 것을 듣다'는 「hear+목적어(you)+동사원형(call)」을 쓴다. 과거 시제이므로 hear의 과거형인 heard를 쓴다.

19 그 도둑(The thief)이 '잡힌' 것이므로 「be동사+과거분사」 (was caught)가 있는 수동태 문장이 되어야 한다. 과거 시제이고 주어가 3인칭 단수이므로 be동사는 was를 쓴다. 그리고 '~에 의해'라는 뜻의 행위를 한 주체는 「by+목적격」 (by the police)의 형태로 문장의 뒤에 쓴다.

20 '(누가, 무엇이) ~해서, ~하기 때문에'는 「because+주어+동사 ~」를 쓴다.

Grammar, ZAP!

ANSWER KEY

심화 **4**

CHUNJAE EDUCATION, INC.

Grammar, ZAP!

VOCABULARY
단어장

심화 4

Aha!

"단어장 활용 방법"

각 Unit의 학습 내용과 관련된 핵심 단어들을 확인합니다.

우리말 뜻을 보며 정확하게 이해하면서 외워 봐요.

이때 영어 단어는 개별적으로 외우지 말고 문장과 함께 외우도록 합니다.

퀴즈를 풀며 잘 모르는 단어는 다시 한 번 확인해 보는 것도 잊지 마세요!

Grammar, ZAP!

VOCABULARY
단어장

심화 **4**

01	**pale** 형 창백한	Her face turned pale. 그녀의 얼굴이 창백해졌다.
02	**bad** 형 (음식이) 상한	The milk went bad. 그 우유는 상했다.
03	**engineer** 명 기사, 엔지니어	He became an engineer. 그는 엔지니어가 되었다.
04	**blind** 형 눈이 먼	My dog is going blind. 우리 개는 시력을 잃어 가고 있다.
05	**strange** 형 이상한	That sounds strange. 그것은 이상하게 들린다.
06	**sour** 형 (맛이) 신	The orange tastes sour. 그 오렌지는 신맛이 난다.
07	**plan** 명 계획	That sounds like a good plan. 그것은 좋은 계획처럼 들린다.
08	**fresh** 형 신선한, 상쾌한	Your room smells fresh. 네 방은 상쾌한 냄새가 난다.
09	**bitter** 형 (맛이) 쓴	The coffee tastes bitter. 그 커피는 쓴맛이 난다.
10	**salty** 형 (맛이) 짠	The soup tastes salty. 그 수프는 짠맛이 난다.

01	**bald** 형 머리가 벗겨진	The man went bald. 그 남자는 머리가 벗겨졌다.
02	**astronaut** 명 우주 비행사	Neil became an astronaut. 닐은 우주 비행사가 되었다.
03	**true** 형 사실인	The story sounds true. 그 이야기는 사실처럼 들린다.
04	**medicine** 명 약	This medicine tastes bitter. 이 약은 쓴맛이 난다.
05	**deaf** 형 청각을 잃은	The musician went deaf. 그 음악가는 귀가 들리지 않게 되었다.
06	**noise** 명 소리, 소음	The noise sounded like a cat. 그 소리는 고양이처럼 들렸다.
07	**brave** 형 용감한	Olivia became brave. 올리비아는 용감해졌다.
08	**clear** 형 맑은	The sky looks clear. 하늘이 맑아 보인다.
09	**voice** 명 목소리, 음성	His voice sounded soft. 그의 목소리는 부드럽게 들렸다.
10	**inventor** 명 발명가	He was a great inventor. 그는 위대한 발명가였다.

✖ 다음 영어에 알맞은 우리말 뜻을 빈칸에 쓰세요.

01 pale _____

02 bad _____

03 engineer _____

04 blind _____

05 strange _____

06 sour _____

07 plan _____

08 fresh _____

09 bitter _____

10 salty _____

✖ 다음 우리말 뜻에 알맞은 영어를 빈칸에 쓰세요.

01 머리가 벗겨진 _____

02 우주 비행사 _____

03 사실인 _____

04 약 _____

05 청각을 잃은 _____

06 소리, 소음 _____

07 용감한 _____

08 맑은 _____

09 목소리, 음성 _____

10 발명가 _____

01 **lend**
(동) 빌려 주다

She lent Thomas her book.
그녀는 토머스에게 자기 책을 빌려 주었다.

02 **report card**
성적표

Cindy showed me her report card.
신디는 내게 자기 성적표를 보여 주었다.

03 **grandson**
(명) 손자

Mr. Nelson read his grandson an exciting story.
넬슨 씨는 자기 손자에게 신 나는 이야기를 읽어 주었다.

04 **bone**
(명) 뼈

Clara gave a bone to her dog.
클라라는 자기 개에게 뼈다귀를 주었다.

05 **ghost**
(명) 유령

The old lady told the ghost story to them.
그 노부인은 그들에게 유령 이야기를 말해 주었다.

06 **balloon**
(명) 풍선

I brought a balloon to Diane.
나는 다이앤에게 풍선을 가져다주었다.

07 **librarian**
(명) 사서

We asked the title of the librarian.
우리는 사서에게 그 제목을 물어보았다.

08 **fairy tale**
동화

He will read the kids a fairy tale.
그는 그 아이들에게 동화를 읽어 줄 것이다.

09 **postcard**
(명) 우편엽서

My cousin sent a postcard to us.
내 사촌이 우리에게 엽서를 보냈다.

10 **pinwheel**
(명) 바람개비

My sister made the kid a pinwheel.
우리 언니는 그 아이에게 바람개비를 만들어 주었다.

01	**chef** 명 요리사, 주방장	The chef didn't ask anything of them. 그 주방장은 그들에게 아무것도 물어보지 않았다.
02	**poem** 명 시	Sarah's aunt read us a poem. 사라의 이모는 우리에게 시를 한 편 읽어 주셨다.
03	**painting** 명 그림	Lyn's uncle found her the old painting. 린의 삼촌은 그녀에게 그 오래된 그림을 찾아 주었다.
04	**favorite** 형 매우 좋아하는	Jason gave his favorite toy to his brother. 제이슨은 자기 남동생에게 무척 좋아하는 장난감을 주었다.
05	**funny** 형 웃기는, 재미있는	Chris's grandpa told a funny story to us. 크리스의 할아버지는 우리에게 웃기는 이야기를 말씀해 주셨다.
06	**poor** 형 불쌍한, 가련한	Mom got a cat house for the poor cat. 엄마는 그 불쌍한 고양이에게 고양이 집을 구해 주셨다.
07	**lie** 명 거짓말	Tom Sawyer told his aunt a lie. 톰 소여는 자기 이모에게 거짓말을 했다.
08	**coin** 명 동전	He got my grandpa an old Korean coin. 그는 우리 할아버지에게 옛날 한국 동전을 구해 드렸다.
09	**clown** 명 광대	A clown gave us the balloons. 광대가 우리에게 그 풍선들을 주었다.
10	**surprising** 형 놀라운, 놀랄	She told the surprising news to Jim. 그녀는 짐에게 놀라운 소식을 말해 주었다.

7

✖ 다음 영어에 알맞은 우리말 뜻을 빈칸에 쓰세요.

01 lend _____

02 report card _____

03 grandson _____

04 bone _____

05 ghost _____

06 balloon _____

07 librarian _____

08 fairy tale _____

09 postcard _____

10 pinwheel _____

✖ 다음 우리말 뜻에 알맞은 영어를 빈칸에 쓰세요.

01   요리사, 주방장   _____

02   시   _____

03   그림   _____

04   매우 좋아하는   _____

05   웃기는, 재미있는   _____

06   불쌍한, 가련한   _____

07   거짓말   _____

08   동전   _____

09   광대   _____

10   놀라운, 놀랄   _____

01 **musician**
명 음악가

They made their son a great musician.
그들은 자기 아들을 위대한 음악가로 만들었다.

02 **hero**
명 영웅

Everyone calls him a hero.
모든 사람들이 그를 영웅이라고 부른다.

03 **rude**
형 무례한, 예의 없는

We think him rude.
우리는 그가 무례하다고 생각한다.

04 **stay**
동 계속 있다, 머무르다

Mr. Wood wanted his son to stay here.
우드 씨는 자기 아들이 여기에 머무르기를 원했다.

05 **make one's bed**
잠자리를 정리하다

I want you to make your bed.
나는 네가 네 잠자리를 정리하기를 원한다.

06 **fence**
명 울타리

Ms. White wanted him to paint the fence.
화이트 씨는 그가 울타리를 페인트칠하기를 원했다.

07 **try**
동 해 보다, 시도하다

The coach told the player to try again.
그 코치는 그 선수에게 다시 해 보라고 말했다.

08 **messy**
형 지저분한, 엉망인

My puppy made my room messy.
우리 강아지가 내 방을 엉망으로 만들었다.

09 **neat**
형 정돈된, 단정한

Karl always keeps his desk neat.
칼은 항상 자기 책상을 정돈해 둔다.

10 **nail**
명 손톱

You have to keep your nails clean.
너는 네 손톱을 깨끗하게 유지해야 한다.

01	**put away** (보관 장소에) 넣다, 치우다	Mom told Tom to put away his toys. 엄마는 톰에게 그의 장난감을 치우라고 말씀하셨다.
02	**toilet** (명) 변기, 화장실	My mother asked me to clean the toilet. 우리 어머니는 내게 변기 청소하는 것을 부탁하셨다.
03	**surprised** (형) 놀란, 놀라는	The news made us surprised. 그 소식은 우리를 놀라게 했다.
04	**crybaby** (명) 울보	My grandmother called him a crybaby. 우리 할머니는 그를 울보라고 부르셨다.
05	**wet** (형) 젖은	Mr. Snow found his cat wet. 스노우 씨는 자기 고양이가 젖은 것을 알았다.
06	**refrigerator** (명) 냉장고	A refrigerator keeps food fresh. 냉장고는 음식을 신선하게 유지해 준다.
07	**careful** (형) 조심하는, 주의 깊은	Grandma always tells us to be careful. 할머니는 항상 우리에게 조심하라고 말씀하신다.
08	**wipe** (동) (먼지·물기 등을) 닦다	His mother asked him to wipe the dishes. 그의 어머니는 그에게 그릇을 닦아 달라고 부탁하셨다.
09	**healthy** (형) 건강한	Regular exercise keeps us healthy. 규칙적인 운동은 우리를 건강하게 유지해 준다.
10	**win** (동) 이기다	We wanted you to win the game. 우리는 네가 그 경기에서 이기기를 원했다.

11

✖ 다음 영어에 알맞은 우리말 뜻을 빈칸에 쓰세요.

01　musician　_____

02　hero　_____

03　rude　_____

04　stay　_____

05　make one's bed　_____

06　fence　_____

07　try　_____

08　messy　_____

09　neat　_____

10　nail　_____

✖ 다음 우리말 뜻에 알맞은 영어를 빈칸에 쓰세요.

01   (보관 장소에) 넣다, 치우다   _____

02   변기, 화장실   _____

03   놀란, 놀라는   _____

04   울보   _____

05   젖은   _____

06   냉장고   _____

07   조심하는, 주의 깊은   _____

08   (먼지·물기 등을) 닦다   _____

09   건강한   _____

10   이기다   _____

01	**laugh** ⑧ (소리 내어) 웃다	He makes us laugh. 그는 우리가 웃게 만든다.
02	**sit down** 앉다	My uncle makes the dog sit down. 우리 삼촌은 그 개가 앉게 만드신다.
03	**go out** 외출하다, 나가다	My father let me go out. 우리 아버지는 내가 외출하게 해 주셨다.
04	**shake** ⑧ 흔들리다	He felt the table shake. 그는 탁자가 흔들리는 것을 느꼈다.
05	**blow** ⑧ (바람이) 불다	We feel the wind blow. 우리는 바람이 부는 것을 느낀다.
06	**chase** ⑧ 뒤쫓다, 추적하다	We saw the cat chase a mouse. 우리는 그 고양이가 쥐를 쫓는 것을 보았다.
07	**flow** ⑧ 흐르다	I feel the water flow. 나는 물이 흐르는 것을 느낀다.
08	**take off** 이륙하다, 날아오르다	We watched the plane take off. 우리는 그 비행기가 이륙하는 것을 지켜보았다.
09	**enter** ⑧ 들어가다[오다]	I saw Jack enter the building. 나는 잭이 그 건물에 들어가는 것을 보았다.
10	**shout** ⑧ 소리치다	He heard someone shout. 그는 누군가 소리치는 것을 들었다.

01	**lick** 용 핥다	I felt my cat lick my cheek. 나는 우리 고양이가 내 뺨을 핥는 것을 느꼈다.
02	**break** 용 깨다, 부수다	I saw my cat break the vase. 나는 우리 고양이가 꽃병을 깨뜨리는 것을 보았다.
03	**ring** 용 (전화가) 울리다, 오다	He heard the phone ring. 그는 전화가 울리는 소리를 들었다.
04	**follow** 용 (~의 뒤를) 따라오다	Sherlock felt someone follow him. 셜록은 누군가 자기를 뒤따라오는 것을 느꼈다.
05	**invite** 용 초대하다	My dad let me invite my friends. 우리 아빠는 내가 친구들을 초대하게 해 주셨다.
06	**upstairs** 위 위층[2층]으로	We watched a dog run upstairs. 우리는 개 한 마리가 위층으로 달려가는 것을 지켜보았다.
07	**loudly** 위 큰 소리로	We heard a boy laugh loudly. 우리는 한 남자아이가 크게 웃는 것을 들었다.
08	**clear** 용 치우다	My sister had me clear the desk. 우리 언니는 내가 책상을 치우게 했다.
09	**pick up** ~을 집다	He had Lisa pick up the trash. 그는 리사가 쓰레기를 줍게 했다.
10	**keep a diary** 일기를 쓰다	His dad makes him keep a diary. 그의 아빠는 그가 일기를 쓰게 만드신다.

✖ 다음 영어에 알맞은 우리말 뜻을 빈칸에 쓰세요.

01   laugh   _____

02   sit down   _____

03   go out   _____

04   shake   _____

05   blow   _____

06   chase   _____

07   flow   _____

08   take off   _____

09   enter   _____

10   shout   _____

✖ 다음 우리말 뜻에 알맞은 영어를 빈칸에 쓰세요.

01　　핥다　　　　　　　　　　_____

02　　깨다, 부수다　　　　　　　_____

03　　(전화가) 울리다, 오다　　　_____

04　　(～의 뒤를) 따라오다　　　　_____

05　　초대하다　　　　　　　　　_____

06　　위층[2층]으로　　　　　　　_____

07　　큰 소리로　　　　　　　　　_____

08　　치우다　　　　　　　　　　_____

09　　～을 집다　　　　　　　　　_____

10　　일기를 쓰다　　　　　　　　_____

01	**invent** 통 발명하다	The machine was invented in 1850. 그 기계는 1850년에 발명되었다.
02	**machine** 명 기계	He invented the machine. 그는 그 기계를 발명했다.
03	**steal** 통 훔치다	My bicycle was stolen yesterday. 내 자전거는 어제 도둑맞았다.
04	**whale** 명 고래	A lot of whales are killed every year. 많은 고래들이 매년 죽임을 당한다.
05	**kill** 통 죽이다	Lots of elephants were killed last year. 작년에 많은 코끼리가 죽임을 당했다.
06	**wallet** 명 지갑	My wallet was stolen this morning. 내 지갑은 오늘 아침에 도둑맞았다.
07	**grow** 통 재배하다, 기르다	These tomatoes were grown in my yard. 이 토마토들은 우리 마당에서 재배되었다.
08	**wall** 명 벽	The wall is painted every year. 그 벽은 매년 페인트칠된다.
09	**light bulb** 백열전구	The light bulb was invented in 1879. 백열전구는 1879년에 발명되었다.
10	**gate** 명 문	The gate is opened at 8 a.m. 그 문은 아침 8시에 열린다.

01	**factory** 몡 공장	Shoes are made in that factory. 신발들은 저 공장에서 만들어진다.
02	**deliver** 통 배달하다	The letter was delivered yesterday. 그 편지는 어제 배달되었다.
03	**coffee bean** 커피콩	These coffee beans were grown in Colombia. 이 커피콩들은 콜롬비아에서 재배되었다.
04	**train** 통 훈련시키다	The players are trained for the Olympics. 그 선수들은 올림픽 대회를 위해 훈련을 받는다.
05	**hockey** 몡 하키	Hockey is played in some countries. 하키는 몇몇 나라에서 행해진다.
06	**exam** 몡 시험	"A" was written on the exam paper. 그 시험지에는 'A'가 쓰여 있었다.
07	**thousands of** 수천의	The pyramids were built thousands of years ago. 그 피라미드들은 수천 년 전에 세워졌다.
08	**seed** 몡 씨앗	The seeds are carried by wind. 그 씨앗들은 바람에 의해 운반된다.
09	**mop** 통 대걸레질하다	The floor is mopped every day. 그 바닥은 매일 대걸레질된다.
10	**inside** 뵌 안으로, 안쪽으로	The boxes were carried inside. 그 상자들은 안으로 옮겨졌다.

✖ 다음 영어에 알맞은 우리말 뜻을 빈칸에 쓰세요.

01 invent _____

02 machine _____

03 steal _____

04 whale _____

05 kill _____

06 wallet _____

07 grow _____

08 wall _____

09 light bulb _____

10 gate _____

✖ 다음 우리말 뜻에 알맞은 영어를 빈칸에 쓰세요.

01   공장   _____

02   배달하다   _____

03   커피콩   _____

04   훈련시키다   _____

05   하키   _____

06   시험   _____

07   수천의   _____

08   씨앗   _____

09   대걸레질하다   _____

10   안으로, 안쪽으로   _____

01	**a few** 약간의, 몇몇의	You sang a few songs. 너는 노래 몇 곡을 불렀다.
02	**lock** ⑧ 잠그다	The door isn't locked in the morning. 아침에는 그 문이 잠겨 있지 않다.
03	**thief** ⑲ 도둑, 절도범	The thieves weren't caught by the police. 그 도둑들은 경찰에 의해 잡히지 않았다.
04	**plant** ⑧ (나무·씨앗 등을) 심다	We planted the tree. 우리는 그 나무를 심었다.
05	**war** ⑲ 전쟁	Were many people killed in the war? 전쟁에서 많은 사람들이 죽임을 당했니?
06	**insect** ⑲ 곤충	Insects carry the seeds. 곤충들이 그 씨앗들을 운반한다.
07	**film** ⑲ 영화	Spielberg made the films. 스필버그가 그 영화들을 만들었다.
08	**bean** ⑲ 콩	You grew the beans. 네가 그 콩들을 재배했다.
09	**hide** ⑧ 감추다, 숨기다	The map was hidden in the box. 그 지도는 상자 안에 숨겨졌다.
10	**take** ⑧ 데리고 가다	He was taken to the hospital. 그는 병원에 실려 갔다.

| 01 | **pear**
몡 배 | Those pears were grown in Naju.
저 배들은 나주에서 재배되었다. |

| 02 | **set**
동 (식탁을) 차리다 | We set the table.
우리가 식탁을 차린다. |

| 03 | **kick**
동 (발로) 차다 | She kicked the soccer ball.
그녀는 축구공을 찼다. |

| 04 | **play**
몡 희곡, 연극 | Shakespeare wrote the plays.
셰익스피어가 그 희곡들을 썼다. |

| 05 | **wild pig**
멧돼지 | Were wild pigs found in the forest?
숲에서 멧돼지들이 발견되었니? |

| 06 | **sweep**
동 쓸다 | He sweeps the yard.
그가 마당을 쓴다. |

| 07 | **snowball**
몡 눈 뭉치, 눈덩이 | We threw the snowballs.
우리는 눈 뭉치를 던졌다. |

| 08 | **hit**
동 치다 | The ball wasn't hit by Ben.
그 공은 벤에 의해 쳐지지 않았다. |

| 09 | **statue**
몡 조각상 | Was the statue found in 2005?
그 조각상은 2005년에 발견되었니? |

| 10 | **carpet**
몡 카펫, 양탄자 | Was the carpet made in 1750?
그 카펫은 1750년에 만들어졌니? |

✖ 다음 영어에 알맞은 우리말 뜻을 빈칸에 쓰세요.

01   a few   _____

02   lock   _____

03   thief   _____

04   plant   _____

05   war   _____

06   insect   _____

07   film   _____

08   bean   _____

09   hide   _____

10   take   _____

✖ 다음 우리말 뜻에 알맞은 영어를 빈칸에 쓰세요.

01 　배 _____

02 　(식탁을) 차리다 _____

03 　(발로) 차다 _____

04 　희곡, 연극 _____

05 　멧돼지 _____

06 　쓸다 _____

07 　눈 뭉치, 눈덩이 _____

08 　치다 _____

09 　조각상 _____

10 　카펫, 양탄자 _____

01	**arrive** 통 도착하다	When the plane arrived, David called me. 그 비행기가 도착했을 때, 데이비드가 내게 전화했다.
02	**stop** 통 그치다, 멎다	When the rain stopped, I closed my umbrella. 비가 그쳤을 때, 나는 내 우산을 접었다.
03	**close** 통 덮다[접다], 닫다	Before you go out, close the windows. 나가기 전에, 창문들을 닫아라.
04	**shake** 통 떨다	While he was studying, his legs shook. 그는 공부를 하는 동안, 다리를 떨었다.
05	**put on** ~을 입다[쓰다]	Before we ride bikes, we always put on our helmets. 우리는 자전거를 타기 전에, 항상 헬멧을 쓴다.
06	**save** 통 저장하다	Before winter comes, the ants save food. 겨울이 오기 전에, 개미들은 식량을 저장한다.
07	**end** 통 끝나다	After the movie ends, you may go to bed. 그 영화가 끝난 후에, 너는 잠자리에 들어도 된다.
08	**have a meal** 식사하다	After I drink a glass of water, I have a meal. 나는 물을 한 잔 마신 후에, 식사를 한다.
09	**sing along with** ~에 맞춰 노래하다	While Dad is driving, he sings along with the radio. 아빠는 운전하시는 동안, 라디오의 노래를 따라 부르신다.
10	**warm up** 준비 운동을 하다	Before you run a marathon, you have to warm up. 너는 마라톤을 뛰기 전에, 준비 운동을 해야 한다.

01	**cross** 통 (가로질러) 건너다	When Jenny called us, we were crossing the street. 제니가 우리를 불렀을 때, 우리는 길을 건너고 있었다.
02	**hunt** 통 사냥하다	Before winter comes, they have to hunt. 겨울이 오기 전에, 그들은 사냥을 해야 한다.
03	**take off** 벗다	Before they enter the room, they take off their shoes. 그들은 방에 들어가기 전에, 신발을 벗는다.
04	**die** 통 죽다	When her grandfather died, she was eight years old. 그녀의 할아버지가 돌아가셨을 때, 그녀는 여덟 살이었다.
05	**fire alarm** 화재경보기	While he was cooking, the fire alarm rang. 그가 요리하고 있는 동안, 화재경보기가 울렸다.
06	**leave a note** 쪽지를 남기다	Before we go swimming, we should leave a note for Mom. 우리가 수영하러 가기 전에, 엄마에게 쪽지를 남기는 것이 좋겠다.
07	**come up to** ~에게 다가가다	When we came up to you, you were taking pictures. 우리가 네게 다가갔을 때, 너는 사진을 찍고 있었다.
08	**apron** 명 앞치마	Before you wash the dishes, you should put on your apron. 너는 설거지를 하기 전에, 앞치마를 입는 것이 좋겠다.
09	**doorbell** 명 초인종	The doorbell rang. 초인종이 울렸다.
10	**stomachache** 명 복통	She had a stomachache. 그녀는 배가 아팠다.

✖ 다음 영어에 알맞은 우리말 뜻을 빈칸에 쓰세요.

01 arrive _____

02 stop _____

03 close _____

04 shake _____

05 put on _____

06 save _____

07 end _____

08 have a meal _____

09 sing along with _____

10 warm up _____

✖ 다음 우리말 뜻에 알맞은 영어를 빈칸에 쓰세요.

01 (가로질러) 건너다 _____

02 사냥하다 _____

03 벗다 _____

04 죽다 _____

05 화재경보기 _____

06 쪽지를 남기다 _____

07 ~에게 다가가다 _____

08 앞치마 _____

09 초인종 _____

10 복통 _____

01	**fact** 명 사실	The fact is that she broke the window. 사실은 그녀가 창문을 깼다는 것이다.
02	**dangerous** 형 위험한	That we jump here is dangerous. 우리가 여기에서 점프하는 것은 위험하다.
03	**believe** 동 믿다	I believe that people are kind. 나는 사람들이 친절하다고 믿는다.
04	**expect** 동 예상하다, 기대하다	They expect that he will arrive today. 그들은 그가 오늘 도착하기를 기대한다.
05	**truth** 명 사실, 진실	The truth is that she told a lie. 진실은 그녀가 거짓말을 했다는 것이다.
06	**secret** 명 비밀	That Oliver knows the secret is not true. 올리버가 그 비밀을 알고 있다는 것은 사실이 아니다.
07	**clear** 형 분명한, 확실한	That she forgot my name is clear. 그녀는 내 이름을 잊어버린 것이 분명하다.
08	**join** 동 함께하다, 합류하다	Because Harry was so busy, he didn't join us. 해리는 무척 바빠서, 우리와 함께하지 않았다.
09	**round** 형 둥근	That the Earth is round is a fact. 지구가 둥글다는 것은 사실이다.
10	**enjoy oneself** 즐거운 시간을 보내다	I hope that you will enjoy yourself. 나는 네가 즐거운 시간을 보내기를 바란다.

01	**most** 형 대부분의	Most people expect that she will win the gold medal. 대부분의 사람들이 그녀가 금메달을 딸 것이라고 예상한다.
02	**holiday** 명 공휴일, 휴일	Because October 9th is a holiday, we don't have to go to school. 10월 9일은 휴일이기 때문에, 우리는 학교에 갈 필요가 없다.
03	**straight** 부 똑바로	If you go straight, you will find the bookstore. 너는 똑바로 가면, 그 서점을 찾을 것이다.
04	**space** 명 우주	He believes that we can travel in space soon. 그는 머지않아 우리가 우주여행을 할 수 있다고 믿는다.
05	**toothache** 명 치통	He had a toothache. 그는 이가 아팠다.
06	**scary** 형 무서운	William watches this scary film. 윌리엄은 이 무서운 영화를 본다.
07	**far from** ~에서 먼	The zoo isn't far from the station. 그 동물원은 역에서 멀지 않다.
08	**snowball fight** 눈싸움	Because it snowed, they had a snowball fight. 눈이 내려서, 그들은 눈싸움을 했다.
09	**free time** 여가 시간	If he has free time, he often climbs a mountain. 그는 여가 시간이 있으면, 자주 등산을 간다.
10	**right** 형 옳은, 올바른	I believe that she is right. 나는 그녀가 옳다고 믿는다.

✖ 다음 영어에 알맞은 우리말 뜻을 빈칸에 쓰세요.

01   fact   _____

02   dangerous   _____

03   believe   _____

04   expect   _____

05   truth   _____

06   secret   _____

07   clear   _____

08   join   _____

09   round   _____

10   enjoy oneself   _____

✖ 다음 우리말 뜻에 알맞은 영어를 빈칸에 쓰세요.

01   대부분의 _____

02   공휴일, 휴일 _____

03   똑바로 _____

04   우주 _____

05   치통 _____

06   무서운 _____

07   ~에서 먼 _____

08   눈싸움 _____

09   여가 시간 _____

10   옳은, 올바른 _____

Answers

Quiz 01

1 창백한
2 (음식이) 상한
3 기사, 엔지니어
4 눈이 먼
5 이상한
6 (맛이) 신
7 계획
8 신선한, 상쾌한
9 (맛이) 쓴
10 (맛이) 짠

Quiz 02

1 bald
2 astronaut
3 true
4 medicine
5 deaf
6 noise
7 brave
8 clear
9 voice
10 inventor

02 여러 가지 동사 (2)

Quiz 01

1 빌려 주다
2 성적표
3 손자
4 뼈
5 유령
6 풍선
7 사서
8 동화

9 우편엽서
10 바람개비

Quiz 02

1 chef
2 poem
3 painting
4 favorite
5 funny
6 poor
7 lie
8 coin
9 clown
10 surprising

03 여러 가지 동사 (3)

Quiz 01

1 음악가
2 영웅
3 무례한, 예의 없는
4 계속 있다, 머무르다
5 잠자리를 정리하다
6 울타리
7 해 보다, 시도하다
8 지저분한, 엉망인
9 정돈된, 단정한
10 손톱

Quiz 02

1 put away
2 toilet
3 surprised
4 crybaby
5 wet
6 refrigerator
7 careful

8 wipe
9 healthy
10 win

04 여러 가지 동사 (4)

Quiz 01

1 (소리 내어) 웃다
2 앉다
3 외출하다, 나가다
4 흔들리다
5 (바람이) 불다
6 뒤쫓다, 추적하다
7 흐르다
8 이륙하다, 날아오르다
9 들어가다[오다]
10 소리치다

Quiz 02

1 lick
2 break
3 ring
4 follow
5 invite
6 upstairs
7 loudly
8 clear
9 pick up
10 keep a diary

05 수동태 (1)

Quiz 01

1 발명하다
2 기계

3 훔치다
4 고래
5 죽이다
6 지갑
7 재배하다, 기르다
8 벽
9 백열전구
10 문

Quiz 02

1 factory
2 deliver
3 coffee bean
4 train
5 hockey
6 exam
7 thousands of
8 seed
9 mop
10 inside

06 수동태 (2)

Quiz 01

1 약간의, 몇몇의
2 잠그다
3 도둑, 절도범
4 (나무 · 씨앗 등을) 심다
5 전쟁
6 곤충
7 영화
8 콩
9 감추다, 숨기다
10 데리고 가다

Quiz 02

1 pear

Answers

2 set
3 kick
4 play
5 wild pig
6 sweep
7 snowball
8 hit
9 statue
10 carpet

07 접속사 (1)

Quiz 01

1 도착하다
2 그치다, 멎다
3 덮다[접다], 닫다
4 떨다
5 ~을 입다[쓰다]
6 저장하다
7 끝나다
8 식사하다
9 ~에 맞춰 노래하다
10 준비 운동을 하다

Quiz 02

1 cross
2 hunt
3 take off
4 die
5 fire alarm
6 leave a note
7 come up to
8 apron
9 doorbell
10 stomachache

08 접속사 (2)

Quiz 01

1 사실
2 위험한
3 믿다
4 예상하다, 기대하다
5 사실, 진실
6 비밀
7 분명한, 확실한
8 함께하다, 합류하다
9 둥근
10 즐거운 시간을 보내다

Quiz 02

1 most
2 holiday
3 straight
4 space
5 toothache
6 scary
7 far from
8 snowball fight
9 free time
10 right